KBI04678

당근의 추억 2

당근의 추억2

발 행 | 2024년 03월 14일

저 자 | 김　창　주

펴낸이 | 한건희

펴낸곳 | 주식회사 부크크

출판사등록 | 2014.07.15(제2014-16호)

주 소 | 서울특별시 금천구 가산디지털1로 119 SK트윈타워 A동 305호

전 화 | 1670-8316

이메일 | info@bookk.co.kr

ISBN | 979-11-410-7642-9

www.bookk.co.kr

ⓒ 김　창　주 2024

본 책은 저작자의 지적 재산으로서 무단 전재와 복제를 금합니다.

당근의 추억 2

중고 플랫폼 "당근" 50 억 대박의 행방은...

김 창 주 지음

목 차

머 리 말

당근... 친구들에게

  다들…
당근과 사랑에 빠져 본 적 있으시죠…
…

  "저 두 요…"
ㅎㅎㅎㅎㅎㅎㅎㅎㅎ…
잠자리에 누워…　자려고…
뒤척이면…
천장에 수많은 '당근'들이 심장을 요동치게 합니다.

  사람들은…
흔한 말로,
"난, 욕심 없이　모든 걸 내려놨어.."

  자주 쓰는 말…이죠…
백 년 만에 세상을 이렇게 놀라울 정도로 발전시킨 것도　사
람들의 욕심이 한몫했고요….

  21세기,

  최고의 욕심 채우고… 비우기… 온라인 공간…

  "당근"을….　요리하는데 필요한

  야채쯤으로 알고 있는 사람이 어디 있을까~ 마는…

생각해 보면…

생활 깊숙이 자리 잡은 "당근"은

사람들에게 수많은 에피소드를 만들어 놓고…
지금도 만들고 있습니다.
…

그중 하나의 에피소드를 판타지로 풀어봤습니다…

심심할 때 읽고 웃어넘기는 감초 같은 이야기가 되길
빕니다. …

'앞으로 살아가는 동안 내 인생에 대박은 하나 정도 남았으려
나…
독자분들은 꼭 여러 번…
아니,
끝없는 대박 나길 빌어봅니다.

2023 년 늦가을 날에

6. 빨리 팔아 치우자.

집에 오니, 아낸, 거실에서 TV를 돌려보며 경찰서에서
내가 오길 기다리며 불안함을 억누르려 애쓰고 있었던 듯…
문밖에서 인기척이 나자, 현관까지 달려 나와 내가 들고 있던
하얀 비닐봉지를 받아 들며… 물었다.

"어떻게 됐…어여… 밥은 먹었 어여…?"

마른침을 삼키며 내 표정을 살폈다.

"간단하게 먹고 왔…어…

아침을…, 안 먹고 갔더니 배가 고파서 조사 끝나고
나오면서 편의점이 있길래…. 도시락 하나 먹었어…. 그리구…
이거 당신 먹으라구…"

아낸, 봉지 속을 열어보며

"내가 좋아하는 '써브웨이' 샌드위치 세트네!" 불안해하던
얼굴은 금세 활짝 웃음으로 변하더니,

"조사받은 건 어땠~어?" 내 얼굴을 살피며 식탁 앞에
앉아 샌드위치를 꺼내 한입 물고, 이어서 궁금증 보따리를
풀어 헤쳤다.

"별일 없었지~ 여…?"

"별거 없었어…,.우리 예상대로 그~어, 조폭 같은 넘이
아버지를 죽이고 필리핀으로 도주해서 죽었는데… 단서가
하나도 없이 감쪽같아서 혹시 내가 뭐 좀 …
알고 있나…? 해서 참고인으로 불렀더라고…"

"거봐…내가 별거 아니라고 했잖아" 배가 고팠었는지 아낸,
나머지 샌드위치를 한입에 다 넣고는 신나서 어깨를
으쓱거렸다.

"좀 비싼 거 좀... 먹고 오지 삼각김밥이 뭐~야…
쪼잔하게… 분당에 유명한 생선 초밥집이 있다구 난리더만"
아낸, 금세 돈 쓸 욕심으로 마음이 돌아서는 듯했다.

'삼각김밥이 아니고 편의점 도시락이라니까…'

화장실에서 손을 씻고 나오며 불안함과 불길한 예감으로
아내에게,

"일단 농장에 있는 컨테이너를 당근에 팔아버리자~"고
예길 꺼내니,

아낸,

"나두 그게…약간… 찝찝하더라 고… 당근에 내놓으면
금방 팔리겠지…뭐…….." 말하곤 핸드폰으로 당근을
뒤적거렸다.

지금 컨테이너를 처리해야, '쥐도 새도 모르게 완벽한 돈세탁'이 마무리되는 거 아닌가….

당근에 컨테이너 '급 판매' 매물을 올렸다. 그리고 농장으로 달려갔다. 컨테이너를 팔아 치우려면 '엉망진창'으로 어지럽혀진 바닥을 깔끔하게 마무리하는게 급선무였다. 농장 구석에 차를 세우고 운전석 문을 닫으니, 차 안에 벗어 놓은 점퍼 주머니에 차 키가 있었는지, "삑삑… 삑삑" 차량 경고음이 울렸다. 그때… 비닐하우스 창고 뒤편에서 "아이쿠" 하며 사람 인기척 소리가 들렸다. 나도 너무 놀라 가슴이 철렁 내려앉았다. 잠시 혼미해졌던 정신을 다시 차리고 조심스럽게 비닐하우스 창고 뒤로 낙엽 갈퀴를 집어 들고 천천히 다가갔다. 코너를 거의 돌아 검정 그늘막 커튼은 재치고 다가가는 순간, 낡은 밀짚모자를 쓴 늙은 노인이 나의 눈과 마주치며 그 자리에 털썩 주저앉았다. 나 또한 깜짝 놀라 주저앉고 말았다.

"아악~"

나도 모르게 비명이 흘러나왔다. 노인도 놀랐는지 입을 멍하니 벌리고 나를 쳐다만 봤다.

"누~~누구세여?" 내가 먼저 떨며 물었다.

"아~~ 예… 길을 잘못 들었는~데..요…"목장갑을 낀 왼손에는 고물 장수 납짝가위가 들려져 있었다. 순간,

잡동사니를 집어가려는 고물장수임을 눈치채고 당장 소릴 질렀다.

아마도 차 키 경보음이 '세콤' 도난경보음 인줄로 알고 놀랐던 것으로 보였다.

"자꾸 농장에 물건들이 없어지는데 할아버지가 범인 이군여... 경찰에 신고해야겠어요…! 아휴~ 놀랬네…"

"아니여…, 첨~오는 길이다 보니 길을 잘못 들어서리…." 할아버지는 가위를 뒤로 숨기며 엉덩이를 털며 일어났다.

줄행랑을 치는 할아버지 뒤통수에 다시 한번 쐐기를 박았다. "한 번만 더 들어오면 경찰에 신고할 거예요…" 겨우 할아버지를 쫓아내고 냉장고를 열어 페트병 채로 물을 마셨다.

"아~~~ 놀랬다…"

이럴 때가 아니다… 빨리 컨테이너 바닥에 합판을 쳐야지…. 농장에 오자마자 확인했던 상추밭은 태평하게 처음처럼 변함없이 그대로였기에 불안한 맘은 없었지만, 외진 이곳에 인기척은 드문 일이었기에 적잖이 놀랐다.

비닐하우스에 있는 공구 창고로 가서 컴프레샤와 타카총과 전기톱 등, 공구를 꺼내고 합판을 치수대로 잘라 바닥을

덮었다. 3 분의 1 정도 뜯지 않은 바닥을 냅두고 이어서
합판을 깔고 장판을 곱게 펴서 본드로 발랐다.

'아~~ 깔끔하고 감쪽같이 바닥이 완성됐다.' 배가 고파와
커피믹스를 한 잔 타서 방부목 데크 바닥에 걸터앉았다.
자연히 눈은 돈을 묻어 놓은 상추밭으로 어느새 향해 있었다.
볼 때마다 뭔가 이상한 것 같아 다가가서 괜히 신발 뒤꿈치로
땅을 눌러보며 밭 주변을 살펴보면 아무런 이상스러움이
없었다. 멀리서 보면 누군가 파 놓은 것 같은 착시로 여러
번을 다가가서 상추밭을 살폈다. 아마도 누군가가 나를
유심히 감시하는 사람이 있었다면 분명히 몽유병 환자쯤으로
여겼을지도 모를 일이었다. 상추밭에 미친 놈"쯤으로
여겼을까…

커피믹스를 거의 다 마실 쯤, '당근톡'이 울렸다. 당근마켓
앱을 열었다

"안녕하세요…컨테이너 농막 팔렸나요?"

컨테이너를 사겠다는 톡이었다. 부자 몸조심한다고 어느새
난 꼼꼼하고 디테일한 조심으로 무장한 까다로운 '당근'으로
변해 있었다. 얼마 전 까지도, 젊은이들에게 양보하고 손해를
감수하고 배려하며 미래의 나라 일꾼을 푸시 해야 한다는
아버지의 신념과 사명감 가득한 가치관은 눈 씻고 찾아야 할
지경이 되어, 비에 젖어 너덜거리는 폐지처럼 변해 있었다.

우선 상대방의 당근 온도와 사고, 판, 당근 이력들과 거래 후기들을 살피며 신중한 신상 파악이 우선이었다.

당근 온도가 기본이고 당근거래 내역도 없는 새로운 당근의 톡이었다.

'그럼 일단 거르자!'

"예 팔렸어요…" 톡을 날리고 공구들과 장비를 정리하고 깔끔히 청소와 정리를 마쳤다. 마지막으로 상추밭을 다시 한번 점검해 살피고 차의 시동을 켰다. 차 유리에 비친 내 얼굴은 흐뭇한 미소가 가득했다. 농장을 나오려 후진하는데 '당근 톡'이 또 울렸다.

"안녕하세요~

농막 컨테이너 팔렸나요?"

'톡' 당근을 살펴보니 당근 거래 온도도 뜨겁고 각종 농산물과 농기구와 공구 거래의 댓글 후기도 매우 좋았고, 팔았던 농산물들도 평가 후기가 좋았다. "오~ 우 그래 이 '당근'씨가 맞춤이다~" 혼자 중얼거리며 '당근 답 톡'을 날렸다.

"안녕하세요. 아직… 인데요~"

답 '톡'으로,

"컨테이너 농막 사진이 없는데 사진 좀 볼 수 있나요?"
급히 당근에 컨테이너를 올리다 보니 사진도 없었다.

"예~ 사진 올려 놓겠습니다. 조금 있다가 확인 바랍니다."

벌써 농장의 하늘은 어둑 어둑해져 있었다. 가로등 만큼
밝은 목성 하나가 동쪽 북한산 꼭대기, 백운대를 넘어오고
있었다…. 젊었을 때… 늦게까지 술 처먹고 버스까지 끊겨,
하남시에 있는 '신장'의 숙소로, 논길을 걸어갈 때 가득했던
새벽 별들이 아름다워 수첩을 꺼내 끄적거렸던 싯구들이
더듬더듬 떠올랐다. 제목이 아마도 '내 마음에…뭐~어
였던가….벼~얼이었나….

…

내마음에도 별이 뜨는가……

아주 어렸을 쩍

서울 구석에서도,

별을 볼 수 있었다.

지금처럼 소나기와 저녁노을이

앞서거니, 뒤서거니를 다투다…,

물러가고 난 뒤…

15

굴뚝에 저녁연기가 한차례

초입의 밤하늘을 훑고 지나간 뒤,

상다리를 접어 장롱 옆 빈틈에

밥상을 접어 넣고,

라디오에서 '전설 따라 삼천리~'가 무르익을 무렵…

장독대 위에 돗자리를 깔고 누워

밤하늘을 볼 때면…

서울 밤하늘 구석에서도 너끈히 총총한 자리다툼으로

검을 틈 없는 밤하늘에 동요를 불러주었다.

…

'푸른하늘 은하수…

하얀 쪽배에..계수나무 하~안 나무 토끼 한 마리~'

….

밤하늘로 퍼져 나가는 토끼 한마리는

그 당시, 왜 그리도 슬퍼 보였는지…

눈꼬랑을 촉촉이 적셨던 기억이 떠올랐다.

지금도 내 마음엔 그 많았던 별들이 뜨고 있으나,

치열했던 생존경쟁으로 지쳐버린 내가… 못 보고 있는 건지도 모르겠다. 멍 때리는 감상에 젖어 있는 시간이 얼마나 흘렀을까…, 시간이 없다는 걸 건너편 농장 황구의 저녁밥 달라는 투정 섞인 '멍멍멍 우~후~' 소리로 정신을 차리고 컨테이너 사진을 찍기 위해 차에서 내렸다.

컨테이너 쪽으로 다가가는데, 근처에서 '부스럭부스럭' 소리가 났다. 머리카락이 삐쭛 솟으며 불안해졌다. 잠시 멈추고 주변을 살폈다. 부스럭거리는 뭔가가 컨테이너 뒤편을 돌아 다가오다 내가 멈추면 따라 멈추고 내가 움직이면 따라 움직이며 가까워지는 것 같았다.

'아~여기서 죽는 거 아닌가… 그냥 걸음아~ 날 살려라 튈까….' 망설이는데…

잠시 후 근처 재우농장에서 키우는 덩치 큰 검은 고양이 '네로'가 기어 나왔다.

"아~짜아~쓱… 놀랐잖아!"

아내가 가끔 애완묘, 짜 먹는 간식을 줬더니 농장에 인기척이 있으니까 놀러 왔었나 보다.

문득 부자들은, '그~많은 돈을 쌓아 두고 어떻게 살까?' 하는 생각이 들었다.

가난한 자들이 돈을 버는데 하루 종일 밤잠을 설칠 때, 부자들도 '어떻게 돈을 쓸까?'로 밤을 새우고 있다는 얘기가 생각났다. '결국.. 지구촌 모든 사람이 서로 비슷한 만큼의 걱정과 근심으로 살아가고 있구나' 하는 생각이 들었다.

'시간이 없다. 어두워지면 사진찍기가 곤란하다, 빨리 서둘러야지….'

컨테이너 외부의 정면과, 45도…각도, 옆면, 뒷면을 찍고 깔끔히 마무리된 내부 사진을 찍었다. 당근에 사진을 첨부 하려다, 집에 와서 씻고, 밥을 먹으며 천천히 올려야겠다고 맘먹고 차를 몰았다.

공장단지 퇴근 시간과 겹쳐서 그런지 차들이 밀려들었다. 싸리말 고개를 넘어 삼송역 쪽으로 내려오는데, 차 엔진 잡소리가 심상치 않게 탱크 소리로 변해갔다. 그저께 아내가… 아침 먹고 나서, '당장 차부터 바꾼다'고 자동차 대리점으로 달려 나가는 아내의 바짓가랑이를 가까스로 잡아 말렸었는데….

"여보 지금 갑자기 좋은 차로 바꾸고 돈 쓰고 다니면 주변 사람들과 경찰서 형사들에게 의심받기 딱~이거든… 조금만 더 참고 상황을 '예의주시'하자구…" 말하곤 겨우 아내를 말렸던 상황이 떠올랐다.

18

'전액 현금 일시불로 끊을게 아니라… 60개월 할부로…, 아니다…, 120개월 할부로 끊으면 괜찮지 않을까?' 하는 묘수가 떠올랐다. 궁하면 통한다고 '이런 묘수가 있긴 하구먼 ….' 혼자 중얼거렸다.

아파트주차장에 차를 주차하고 내리려는데, 조금 전 톡을 주고받은 그 '당근'씨에게서 '톡'이왔다.

"가격 절충이 좀 되나요?" 사진도 안 보고 가격부터 얘길 하네… 우스워서 헛웃음이 났다.

'답톡'을 날렸다

"지금 사진 보내 드릴 테니까, 보시고 난… 다음에…"

난, 톡을 날리고 조금 전에 찍은 컨테이너 사진들을 보냈다.

잠시 후 "맘에 드는데 사고 싶다"고 톡이 왔다. 그리고 금액 절충 좀 해달라고 했다.

"얼마나……."

"쪼~오금만… 적당히…요" 절실히 부탁하는 것이 느껴졌다. '파격적으로 싸게 내놨는데…. 얼마나 깎아 줘야 하나….' 잠시 생각하고 있는데 또 다른 '당근 톡'들이 사고 싶다는 울림이 계속됐다. 다른 사람한테 팔까? 생각할 때 사고 싶다는 당근에게서 또 톡이 왔다.

'자기가 쓸 게 아니고 부모님이 연로하셔서 농기구나 허드레 것들을 사서 보내주고 부모님이 농사지은 농산물도 저렴하게 당근을 통해 팔아드리고 하는데, 노부모 고향집이 너무 낡아 싸게 나온걸 본 김에, 부모님에게 보내주고 싶다'며 사정을 예기했다.

"그런 사정이 있으시군요…." 효자가 틀림없어 보였다.

'깎아주자…'

"예~ 깎아 드리겠습니다." 톡을 보내니…, 바로 톡이 왔다.

"감사합니닿ㅎㅎㅎ"

*** 분당경찰서 계장실 ***

강경장은 찝찝한 무거운 맘에 옥상으로 올라가 담배를 한대빼물었다.
'분명 지금까지 조사한 조서를 종합해 보면, 어딘가에 이천억 정도가 숨겨져 있는 것이 확실한데…' 장본인들이 다 죽어버려서 더 이상 단서가 전무한 것이 너무도 답답했다.

'지금이라도 포기하고 깨끗이 접어야 하나….'
담배 한모금을 깊숙이 빨아들일 때 계장 카톡이 울렸다.

"빨리 안 올라오나… 시간읍써!!!"

담배를 비벼끄고 계장실을 향해 빠른걸음으로 걸었다.

"똑똑똑" 문을 두드리니, 소리소리 별소리 욕지거리를
섞으며 "빨리 안들어 오고 뭐하냐"고 난리다.

'빨리 이짓을 때려 쳐야 하는데… 시발…'강경장의
튀어나온 입을 감추기도 전에 서류 뭉치들이 얼굴로
날라왔다.

"강! 너 이사건 종결처리하라는데 왜 질질 끌고 지랄이야?"
조사 1 계장은 평생 윗 놈들 비위만 맞추고 아부하며 실력은
개똥이면서 계장까지 초고속 승진한 넘이다.

이세계가 다 그렇다… 아니… 나라밥 먹는 놈들은 다
똑같을 거다. 능력보단 위사람 '똥꼬빨이' 최고인 놈이 연말
경찰청장 표창장을 독차지한다.

"계장님… 그런데…, 그~으…아들놈이 필리핀에서
죽은것도 시원찮고…. 정보망에 의하면……"

"그만 하라니까…, 너 밀린 사건이 아홉 개가 넘어…
다음달까지 다~ 마감 칠 수 있어?"
계장의 침이 강경장의 얼굴에까지 튀었다.

저 대머리 면상 아가리에 사표를 처 쑤셔 넣은 다음 주먹으로 죽통을 날려주곤… '잘~먹고 잘~살라'고 욕을 퍼 붓고 나올까.., 말까.., 를 머리속으로 굴리며…, '여기 까지 만 참자..'로 방향을 잡고…

"죄송…합… 거의 다~ 단서를 잡아……" 말이 끝나기도 전에 계장은 책상 옆구리를 발로 차며 소리 한 톤 더 높여, "단서는 뭔…단서… 보물단서 라도 되냐, 이~세…?"

"예..이~천!…."

"이처~언~! … 뭐??? '이~천수'가 범인이래…?" 계장은 강경장의 이마에 자기 이마를 들이댔다. '자기 입 냄새보다 더 지독한 놈은… 살다 살다 이놈이 처음'이라고 생각하며 강경장은 대갈빡를 처박으려다, 이천억을 생각하며 이를 악물었다.

아~~ 나도 모르게 '이천억'이 입에서 나올 뻔했다.

"그게 아니고, 이천 쪽에 홍사장, 배다른 딸의 연고가 있는 것 같아서 말입니다." 입에서 튀어나올 뻔 한 '이천억'을 죽은 홍석천 아버지에 배다른 딸의 연고로 둘러 댔다.

확실한 액수는 단정 지을 수 없지만, 그동안 수집한 정보에 의하면 분명 '이천억' 정도 감춰 놓은걸로 추정됐다.

'아무도 모르게 이돈 찾아서 빨리 여길 때려 쳐 야지….'
강경장은 확실히 맘을 굳히곤,
"알겠습니다…"를 외치고 계장실을 뛰쳐나왔다.
'저 인간이 이천억 예기하면 지가 처먹으려고 달려들며 난리
칠 것이 분명한데….'

하지만 강경장의 생각과 달리, 계장놈은 성남시 쪽에서
죽은 홍사장한테서 숨겨둔 돈, 수천억을 모두 회수했다는 윗
선의 연락을 진작에 받았었고, 숨겨둔 금고 바닥이 깨끗이
들어 났다고 믿고 있었다. 또한, 성남시 또다른 위선에서도
'지금 빨리 수사 종결하라!'는 비밀리에 지시 압박을 받고
있었다.

강경장은 초조한 맘으로 계단을 서둘러 내려오며 생각에
잠겼다. '조금 있으면 나도 나이가 오십인데…. 그러고 나면,
정년 퇴직이고, 작대기 4개 말단 경사쯤 되어 사회로
나와봐야… 붕어빵장사 아니면 편의점이나 차릴 것이 분명한
거고…….'

강해진 경장은 두주먹을 불끈 쥐며 다시한번 흔들렸던
심경을 확고히 굳혔다.
"이천억만 찾으면 '인생역전'이다." 긴 복도를 돌아 나오며
강경장은 자신도 모르게 중얼거리고 있었다.

수소문해 놓은, 죽은 홍석천 아버지 조선족 간병인을
찾아보려고 경찰서 1층 안내데스크 코너를 돌아
지하주차장으로 내려 가는데, 조사계 여자신입 김순경이 "또
어디 가냐?"고 불러 새웠다. 커피 심부름인지 아이스
아메리카노 종이케이지 백을 양손에 들고 있었다.

"내꺼두~ 있냐~?"

"아니요…"김순경의 말이 끝나기도 전에 왼쪽 케이지
백에서 아이스 아메리카노 1개를 집어들고 마시며 경찰서를
튀어 나갔다.

*** 조선족 간병인을 찾아서… ***

강경장은 성남 모란사장으로 방향을 잡았다. 모란시장
상인자치 관리대장으로 상인들에게 자리세를 삥 뜯으며
짭짤하게 살고 있는 성남의 마당발 '박대기'를 찾기 위해서다.
꼴통에다가 곤조가 있는 또라이라 상인들이 '똥이 무섭기도
하고, 거기다, 더럽기도 하니…' 그냥 '박대기'가 터무니없이
우겨도 이놈의 요구사항을 두말 않고 들어준다. 또 어려서
부터 녹색 양말만 고집하며 종아리까지 올려 신고 다녀서
별명이 '녹색양말'이다. 아무튼 모란시장 바닥에선 '녹색양말'
하면 다~들 알아준다.

"광수야…지금… '녹색양말' 어딨냐? 한번 불러봐라~"
각종 중국산 짝퉁 공구를 싸게 팔며, 사기 전과가 몇 개 있는
광수에게 물었다. 몰려있는 구경꾼 손님들에 휴대용 무선
마이크로 목이 터져라 이빨을 날리고 있던 광수는 강경장을
보더니 오른쪽 눈으로 윙크를 하며 웃어 보이더니 손바닥을
흔들며 손인사를 하곤 마이크 볼륨을 올려 "녹색형님~…!.
형님~!! 손님 왔~쓰여~..깡~형님…이… 파딱~
와~브르쏘…"
소리가 제법 컸다.

"금방~ 이리루~ 올껏인께… 쬐꼬~옴~만…" 강경장에게
속삭이곤 계속해서 구경꾼 손님들에게 이빨을 날렸다.
시장바닥 장사통에 뼈가 굵은 장돌뱅이 사람들은 말한 마디에
전국 5도 사투리가 다 섞여 있다. 고향이 그리워도 못가는
사람들의 향수를 파고들려는 얄팍한 수작일거다.

경찰 조사실에서 범죄자들을 오래 상대하다 보면, 말 할
때마다 자기 고향 사투리를 최대한 감추고 말하려 애를 쓴다.
범죄자들 중에서도 특히, 사기꾼들은 대화하는 사람에 따라서
능숙 능란하게 사투리를 맞춰가며 구사한다. 겉은 여유
만만하게 웃음을 짓고 말을 내 뱄지만 두꺼운 외투에 가려져
보이지 않는 맘속은 밀림 속 치타에 쫓기는 멧돼지처럼 숨을
헐딱거리며 도망갈 곳을 향해 전력 질주하고 있다는 것을
강경장은 오랜 경찰생활로 잘 알고 있었다.

광수의 공구 좌판에 구경꾼들과 섞여 신기하게 생긴 공구들을 만져보고 스위치를 눌러 작동도 해보며 놀고 있을 때…, 무릎까지 양말을 올려 신은 '녹색양말'이 다가왔다.

"강반장~ 시장바닥까지 뭔~일이여?" 여유만만한 웃음을 지으며, 뒤에서 쪼그려 앉아있는 강경장의 엉덩이를 발로 툭툭쳤다. 이놈의 겉과 속이 똑 같은 여유 만만한 웃음은 밑바닥 음지의 세계에서 무대뽀의 수많은 상황들을 경험한, 경지에 오른 고수들의 여유가 섞여 있기에 섬뜩했다.

"아~이~개쎄리가… 주둥이만~ 열면… 반말이야~" 강경장은 벌떡 일어나 녹색양말의 양쪽볼과 옆구리를 두손바닥으로 가볍게 연속 날리니 녹색양말은 뒷목에 깍지를 끼고 얼굴을 방어하며 허리를 숙여 웃어대고, 강경장은 이에 질새라 닉킥과 오른쪽 팔꿈치로 녹색양말의 등짝을 가볍게 몇 번 찍었다.

"알았어.. 알았어…미안 미~안…"을 외치며 강경장을 끌어안았다. 그리곤 강경장의 귀 쪽 볼에 뽀뽀를 날렸다.

"아~ 이런~새블럴..더럽게 왜~이래…쌕끼..?' 강경장은 옷 소매로 침 묻은 볼따구을 닦고 녹색양말을 밀쳐내며 이어서 물었다.

26

"모란역 앞에서 직업소개소 하던 조사장 얼루 이사 갔냐?"
조사장이 시청 놈들과 연관돼 있다는 첩보가 있고 살해당한
홍석천 아버지 간병인도 소개했다는 예길 들었었다. 분명…
홍 사장 옆에 스물 네 시간 붙어있던 조선족 간병인은 뭔가
들은게 있었을 것이다.

"헐렁이~그마~ 수진역 1번인가…2번인가…몇 번 출군진
모르겠고.. '굽네치킨' 바로 옆건물 3층으로 이사갔는데…
그~마는 왜 찾아요? 그~마.. 새장가 갔다고 사무실 문 걸어
잠그고 띄엄띄엄 일하드만요…."

"넌 몰라도 되고, 다음주에 술 한잔 사면 말해 줄게…."

"술도 못 먹는 인간이 뭔 술타령이여" 오래전 술 먹기
시합하다 뻗어 버렸던 강경장을 놀리는 말이다. 인상을 쓰며
녹색양말이 가래침을 뱄었다. 강경장은 발을 피하며 "이런
새브랄… 신발에 뭘 뻔했네…"

"새가 뭔~브럴이 이껏써…."를 중얼거리곤 돌아서는
녹색양말의 등짝을 손바닥으로 치곤 수진역으로 걸어갔다.

녹색양말이 강경장의 뒤통수를 향해 "전화번호 있는데…"를
외치니 강경장이 뒤돌아보며 "진작~말하지…" 하며 돌아오려
할 때,

"뻥이지~~ 디음주에 와~"를 외치곤 뒷걸음질 쳐갔다.

"이시끼가 또 반말이네…. 새브럴…" 강경장도 가래침을
뱉으며 발걸음을 서둘러 수진역까지 걸어 가려다 지하
주차장으로 가서 차를 끌고 나왔다.

'거기 수진역 근처에 주차할 때가 있나?... 바쁜데… 에이~
빨리 가보자….' 수진역까지 손살같이 차를 몰았다. 수진역
도로변들은 양쪽 갓길로 주차가 가능했으나, 빈자리가
드물었다.

어쩔 수 없이 이중 주차를 하고 건물 모퉁이에 있는
'굽네치킨'을 돌아설 때 뒤에서, "얌~마…! 차~아 빼!" 하는
고함이 들렸다.

강경장은 잠시 서서 망설이다 뒤를 돌아보니 이 동네 건달
같은 젊은놈이 팔뚝에 문신을 들쳐 보이며 강경장을 꼬나보고
서있었다.

강경장은 손가락으로 자신을 가리키며 젊은 문신 눈깔과
마주쳤다. 그러자, 문신남은 "너 말고 여기 또 누가있어…
빙신세끼…" 하며, 다가와 강경장의 뒤통수를 치려할때,
강경장은 문신놈의 손을 잡아 꺾어 기선을 제압하고 한쪽
무릎을 발로 차, 꿇여 앉히며 볼따구니에 따귀를 날렸다.
문신놈이 약이 올라 주머니에서 칼을 꺼내려 할 때 뒤에서
"깡~형님! 아니십니까" 하며 덩치 큰 놈이 쪼리를 끌며
다가왔다. 그리곤 강경장에게 잡혀 있는 지신의 부하를

발견하곤, "형님 야 우리 압니다… 야.. 뭘~ 잘못했나
봐요??"

강경장은 문신놈의 뒤통수를 갈기곤 손을 풀어주니 놈은
다시 칼을 숨기며 강경장에게 '죄송하다'며, 90 도 인사를
했다.

"세까… 사람 가려가며 힘써라…" 하며 덩치에게 말하곤 ,
이세끼~ 니~네 애냐?"

"네… 신참입니다." 뒤통수를 긁으며 덩치는 문신놈의 귀를
잡고 끌며, 차 운전석으로 갈 때, 강경장이 물었다.. "주차는
됐꼬… 여기 직업소개소 조사장 이사 온 대가 어디냐?"

"네 형님! 제가 안내하겠습니다... 하며 문신놈이 달려와
앞장서며 길을 안내했다.

7. 성남 뒷골목 직업소개소

직업소개소 키다리 '말랭이'소장은 강경장의 인기척에 사무실 안쪽에 꾸민 신혼방에서 쪽문을 열고 나왔다. 풀어헤쳐진 하얀색 와이셔츠 단추를 잠그며 헐렁헐렁한 트렁크 사각팬티를 날려며 엉거주춤 기어나와 강경장을 째려보며 입을 열었다.

"일자리 구하게여?"

강경장은 비웃으며 말랭이소장의 아랫도리 빤스바람를 가리켰다. 말랭이는 흠 짓 놀라며 다시 살림집으로 달려 들어갔다. 그리고 잠시 후 넥타이까지 매고 나와 자기 책상으로 와서 자릴잡고 앉았다. 담배를 한 대 빼물고 라이터 불을 붙이며 강경장에게 물었다.

"그전에 뭔 일 햇시요~잉?"

"그~게...아니고 조선조..오⋯옥⋯⋯" 강경장의 말을 자르며 너의 처지를 다 알고 있는 직업에 세계의 도사라는 표정을 내보이며 거만하게 거들먹으로 강경장에게 재차 물었다.

"조선족~ 이라⋯ 뭐든 다 한다는 예기지요~잉?"

30

"그것이 아니고…" 성미 급한 강경장은 결국 참질 못하고 쇼파에서 일어나 헐렁이소장의 뒤통수를 갈기며,

"너~ 조춘자 알지!!"

"이런 개~에 쓰레진져… 어디서 듣보잡 춘잔가 춘천인가를 찾고 지럴이여…" 헐렁이는 벌떡 일어나며 강경장의 멱살을 잡고 주먹을 움켜쥐며 날리려 할 때, 강경장은 살짝 피해곤 헐렁이의 뒷 모가지를 움켜쥐고 일으키며 말을 이었다.

"조선족 간병인으로 일하는 '조춘자' 말야…… 그년 지금 어딨쓰어~…어?... 아니… 전화번호 좀 말해봐~" 강경장의 말에 헐렁이는 기를 쓰다, 책상에서 핸드폰을 집어들고 강경장의 머리통을 찍으며 소릴 냅다 질렀다.

"이~르언~ 쉬브랄노~무 싸캉이가?..."

살짝 피하며, 강경장의 한발 빠른 오른쪽 주먹에 헐러이는 의자로 나가떨어져 주저 앉으며 뒤로 자빠지고 말았다.

"아~이… 씨브럴~노무시악끼… 이빨 다아~나갔네에이~" 강경장은 헐렁이가 엄살 피우고 있다는 걸, 이골 난 형사질로 훤히 안다는 듯 말을 이었다.

"난 분당경찰서 조사과 '깡경장'인데… 내가 20여년 너 거튼놈들 패고 다녀서 엄살 피는 거 다~아니까, '조춘자' 이력서 어딨나 찾아봐…"

"아~따.. 시브럴.. 진즉에… '까~양똘행님'이라구 말하제… 입에서 피나눈구먼…씨벌…" 강경장은 성남바닥에서 하도 꼴통짓을 하고 다녀 "깡똘"로 더 잘 알려져 있었다.

"너~ 한대 더~ 맞을래..?" 강경장이 손바닥을 처~들자 겁먹은 헐렁이는 왼손 팔목을 들어 강경장의 손바닥을 막으며 엄지와 검지에 침을 바르며 서류를 뒤지기 시작했다. "요즘 뭔~날인가… 씨브럴.. 얼마전에도 새벽같이 짱께 세깽이들이 조선족 늙은 년 하나찾구 지랄을 떨고 가더만…" 쫀나 재수읍는 날이구마이…"

잠시 서류를 뒤지던 헐렁이가 A4용지 이력서 3장을 드리밀었다.

"나말구 또 '조춘자' 찾는놈들이 있었써?"

"예… 젊은 여자애하고 20대쯤보이는 온몸에 문신한 넘이 중국말로 '자오춴씨' 어딨냐'고 사진 보여주면서 난리처서 내가 경찰 부른다니까 주소하고 전화번호만 적어서 후딱 뛰어갔는디여" 잠시 눈깔을 굴리며 생각하던 헐렁이는 "그려요… 50대 늘씬하구 이뿌장허게 생긴 그년이 조춘자여…..춘자~그년이가 뭔 사고 쳤으여?"

32

"넌 알꺼 없꼬 그년… 정보 좀 들어오면 나한테 알려줘…
꼬~옥이다~!" 강경장은 뒤도 안보고 춘자의 주소를 훑트며
한발 늦은 것 같은 예감에 맘이 더욱 급해 졌다.

어두워져 가는 성남 뒤 골목길을 걸으며 후지고 더러운
썩은 냄새로 진절머리나는 성남구석을 빨리 떠나야겠다고
다짐했다.

8. 컨테이너 판매

새벽 6시쯤이었을까…,
핸드폰이 울렸다. 요즘은 전화 벨 소리만 들어도 깜짝 깜짝
놀란다. 몇 일전 상비약으로 사논, 마시는 '우황청심환'도
다~ 먹고 없는 것 같은데 불안했다. 돈 없이 살 땐, 전화가
오면 경조사비나 급한 사고소식으로 돈 들어 갈 까봐 심장이
두근댔는데, 요즘은 돈 내놓으라고 협박하며 뺏어갈까봐
걱정이다. 졸린 목소리로 긴장감을 감추며 전화를 받았다.

"여보세여?" 내 말이 끝나기 무섭게 고막을 갈랐다.

"쓰장님…. 사~장…아니.., 여기 농장 앞인데 얼루
들어가나용~?"

'지금 몇 씬데… 벌써부터 와 가지고 난린가…?'
….

"트럭사장님… 일곱씨까지 오기로 안~했어여?" 내가 짜증
섞인 목소리로 물으니, '운송지가 강원도 원준데, 컨테이너
싣고 낮에 고속도로로 달리면 단속 때문에 새벽에 일찍 여주

34

톨게이트까지는 빠져나가, 국도로 달려야 제시간에 도착할 수
있어 어쩔 수 없다'며, 빨리 농장으로 오라며 봐 달라고
사정을 하면서 독촉도 했다. 아내도 내 목소리가 컸는지,
잠결에 "예의범절이 부족한 사람 같다"며 투덜거렸다.

"여보 나~ 농장에 좀 갔다~올께… 5톤카고가 벌써
왔다네…" 대충 옷을 추려입고 농장으로 차를 달렸다.
새벽이라 공기가 쌀쌀해서 그런지 자동차 엔진소리는 조용
했다. 경쾌한 엔진소리에 기분이 좋아져 속도를 올렸다.
시간이 일러선지, 거리에 차들도 없어 30분만에 농장에
도착했다.

'어~~?....

그런데…!

이게 웬~일이냐???'

…

…

컨테이너는 벌써 크레인으로 떠서 5톤카고 트럭에 실려져
있고 허어연 장발에 칠십 넘어 보이는 뚱뚱보 기사님은 돈을
묻어 놓은 상추밭에서 뭔가를 열심히 파고 있었다. 난 놀래서
달려가며 소리쳤다.
"사장님 뭐~하세여?" 내소리에 놀라는 기색도 없이 태연히

일어서며 이빨로 대충 깎은 무우를 '어그적~어그적~'
씹다가, 능글맞게 웃으며 돌아서서 인사를 했다.

"목이타서 무수~하나 뽑아 먹었어…여잉..무~가 달고
맛있네용…." 하얗게 마른 입술 주변 입가에는 벌써 무우를
한 개 뽑아 먹었었는지, 진흙들이 쪼끔 묻어 있었다.

"아까 껀, 쪼그매서 맵더니 요건 좀 커서그런가, 달고 물도
많네용~"

…

'아~~ 난 또, 돈뭉치 파내는 줄 알고… 깜짝 놀랐네….'
안도의 신경질을 약간 섞어서 큰소리로,

"아이고 어르신… 수도가에서 닦아 드시지… 그냥 드시면
어떻해여??"

"에이… 뭘 닦어…영, 수도꼭지 물도 안나오더만… 그냥
먹도 돼…영"

'아참… 지하수 펌프센서가 불량으로 됐다, 안됐다…
오락가락해서 스위치를 꺼놔, 물이 안 나왔었지….'

"그런데 벌써 실으셨네여?" 맘의 여유를 찾으며 물었다.

어제 실키좋게 주변정리를 싹~다해 놔서, 혼자서도 별
어려움없이 실은 것 같았다.

"삼 십년 이짓했는데, 이정도 식은죽이야용…"

수도 전기 스위치를 올려주니 대충 손과 흙묻은 얼굴을 씻고 차에 올라 타며, "무수가 배처럼 달고 맛이써용~, 수고하세용…" 한마디 던지고 힘껏, 엑셀레이터를 밟으며 농장을 벗어 났다. 너무 서두르는 것이 불안해 보여 옆에 또랑으로 차가 빠질까 무서워 꽁무니가 사라지기까지 한참을 바라봤다.

나도 상추밭에 조금 심어놓은 무우가 정말 단가…? 궁금해져서, 시퍼렇게 불쑥 대가리가 반쯤 튀어나온 잘 익은 무우를 한 개 뽑아 수돗가로 가서 씻고 한입, 베어 물었다.

"으이구~ 써~어…, 달긴 뭐가 달어… 속았네…."

'빈속에 무우를 먹으면 쏙 쓰리지 않을까…?' 몇 입 씹어 먹다가… 뱉어 버렸다. '요즘 들어 위장병이 재발 한 건가…? 새벽에 속이 쓰리더만… 또 무우먹고 속쓰릴라….'

이제는 내 인생 상황이 백팔십도 가 바뀌었다. 건강이, 아니 몸뚱이가 최우선이다. 당장 내일이라도 서울역에 있는 연세 세브란스 건강검진센터로 달려가서, 삼백 오십만원짜리 초정밀 건강검진 '올케어'을 한번 받아봐야겠다. 이렇게 돈 싸 놓고 갑자기 가면, 말 짱 도루묵 아닌가… 전신 CT 검사와 MRI 까지… 싸 그리, 검사를 통해 조기에 치료할 게 나오면 신속히 치료해서 다리 질질 끌면서 돈 쓰러 다니는

추한 모습은 보이지 말아야 하지 않을까… 하는 생각이 들때
배가 고파왔다.

  '빨리 집으로 가서 아침밥 먹자… 위장에 건강을 위하여…'

  차를 타려고 걸어 나오는데 컨테이너 있던 자리가 104동
경비원 할아버지 앞 이빨 두개 빠진 것처럼 뻥~ 뚫렸다.
임시로 간이 천막이라도 하나 설치해서 밤새 상추밭을 교대로
감시해야 하는 '베이스벙커'로 써야 하는거 아닌가 하는
생각이 들었다. 그건 그렇고, 일단 밤에… 아니, '새벽에…
천만원만 꺼내, G90을 60개월 할부로 계약금 주고, 차를
빨리 뽑아야겠다' 생각하며, 상추밭을 바라보는 그때,
핸드폰이 울렸다. 불길한 예감이 들어 벨소리를 무시하고
운전을 했다. 두 세번 오더니 잠잠해졌다. 자동차 엔진소리가
경운기소리로 변해 갈 무렵, 아파트 지하주차장에 도착해
핸드폰을 열었다. 성남경찰서 '강경장' 폰번호였다.

  …….
다시…,
차량 운전석으로 가서앉아, 전화를 걸까… 말까를… 십
분정도… 망설이다…, 결국… 번호를 눌렀다.

  헛기침으로 목을 가다듬고 긴장감을 풀며,

  "안녕하세요.. 일전에 참고인 조사를 받은 김달숩니다.
운전중이라 전화를 못 받았습니다."

전화벨이 두 세번 울리기도 전에 전화를 받는 걸로 봐서
급해 보였다.

"아~~ 안녕하세요.. 다름이~아니고… 오늘 한번 뵐~수
있나.. 전화했습니다…"

'아~ 뭔~가… 단사가 나왔나?' 가슴이 '철렁철렁' 거렸다.

"예에… 그러세요~, 경찰서로 가면 되나여?" 강경장은
급히 내 말을 막으며,

"아~아니여…, 경찰서가 아니고 오늘은 제가 그쪽으로
외근 출장이 있어서, 그~으 근처 편한 곳에서…,
커피숍이나… 뵙고 싶습니다."

잠시 난 생각에 빠졌다. 경찰서가 아니면 사건의 직접적인
참고인하고 거리가 먼 거 아닌가… 업무가 아닌 사적인
만남을 요구하는데… 거절할까…… 말까… 를 망설이다가…,

"오늘은… 안될~꺼…같은…"
강경장은 또다시 내 말을 먼저 끊으며, "잠깐이면 되니까,
그쪽 근처 장소 알려주시면 편한 시간에 찾아 뵙겠습니다.
한~~~ 십 분 정도… 아니, 이 십분 정도… 면 되는데…"

'뭔가 부탁할께 있으니까…, 아니… 아쉬운 뭔가 있으니까
이 사람이 이렇게 공손하게 나오지 않는가…' 지금, 거절하면

뭔가 빌미와 의심을 줄 것 같아, 점심 먹고 2시경에 약속을
잡았다.

*** 강경장과의 만남 ***

점심을 일찍 먹고 서둘러서 강경장과 만나기로 한 약속 장소로 나갔다. 우리집 근처 새로 생긴, 단골 아지트로 아내와 찍어 둔, '스타벅스'로 장소를 정하려다, 이인간이 조금이라도 가까이 오는것이 꺼림칙하고, '돈 한푼 없다'는 빈 티를 내기 위해서라도 최대한 먼, 옆 동네…, 예일여고 사거리 지하철역 10번출구 바로 앞에 '메가커피'로 장소를 정했다.

내 차로 가면 밀릴 것 같고, 구도심 지역인 역촌 4거리가 주차지옥 구간 중에 한곳이라, 지하철을 타고 도착해서 '메가커피' 매장 벽시계를 보니, 십분 정도 일찍 도착해, 오후 1시 50분이었다. 매장 안에는 손님들이 제법 있었지만 대부분 쇼윈도 창가 쪽에 앉아있었고, 한가한 안쪽 깊숙한 자리에 강경장이 먼저 와 있었다. 뭔가 열심히 노트를 뒤적이며 필기하던 강경장은 나의 인기척에 고개를 들었다.

"안녕하세요… 일찍 도착하셨나 봐요?" 내가 먼저 선수를 처 인사 멘트를 했다.

"아~~ 아녀요. 이쪽, 보던일이 일찍 끝나서요" 살벌한 인상의 그는 억지 미소를 띄며 카운터로 가, 커피를 시키곤 '단도직입'적으로 물어왔다.

"요즘 수입이 많이 좋으시다고 하셨는데⋯ 얼굴이 많이
좋아 보이네요?"

"아니요...제가 그런 말씀드린 적이 없었는데요?" 난 잠시
당황하다, 금세 '이넘이 날 넘겨 집고 있구나' 하는 감을
빨리 잡고 말을 이었다.

"요즘 돈이 말라서⋯, 여기 올 때도 고물차가 고장나
지하철 타고 겨우 왔는데여⋯?" 놈은 능글맞게 이빨을
보이며 웃곤,

"아~ 제가 다른 분과 착각을 했나 보군요⋯, 그런데⋯
혹시 말인데,
죽은 홍석천이가 컨테이너 팔면서 또 다른 예기한
거⋯그러니까⋯, 기억나는 게⋯ 있나 해서요?

"아~아⋯ 예~에⋯! 특별히⋯⋯뭐⋯."

"죽은 홍석천이 아버지가⋯⋯,
거금을⋯, 꾀~많은 돈을⋯, 그러니까⋯ 수천억 정도를⋯,
아니⋯그건 모르겠고, 어딘가에 숨기고 죽었는데⋯ 그가 살던
집과 농장과 창고를 샅샅이 뒤져봐도 흔적조차 없는게⋯, 그
큰 돈을 현금으로 어딘가에 감췄을리는없고⋯, 금이나,
아니면⋯, 무기명 채권이나⋯, 그것도 아니면⋯, 코인에 묻어
감춰둘 수도 있고⋯. 아리 송⋯ 아니⋯ 묘연하거든요?"

"수억이나요?... 아니…, 수천억이나요???"
난 좀더 오버해서 천문학적인 금액에 대해 놀라움을 표시하며
물었다. 아니다, 정말 놀랬다…. 오십억이 아니고
수천억이라니…. '내가 찾아낸, 오십억 가지고 뻥~치는 거
아닐까…'

"확실한 건 아니고 추정 이긴 하죠…" 말이 끝나기 무섭게,
담배를 한 개피를 꺼내, 빼서 물려다, 금연을 보곤 다시 집어
넣으며,
"그래서… 말인데… 그~ 당시, 컨테이너 안에 있던 짐들은
다 가지고 와서…요, 아니… 가지고 오셨으면.. 어떻게 했는지
궁금해서요?"

나는 퍼들쩍 주저없이 놈의 틈을 주지 않고 말했다.

"저희가 컨테이너를 보러 갔을 때는… 그러니까…, 그 당시
땅 보러온… 아니…, 땅 산다고… 부동산 대머리사장님과
매수자 등…, 관계자들이 여러 명 같이 있었지만 안에는
아무것도 없이, 깔끔히 터~엉 비어 있었습니다."

강경장은 인상을 찡그리다 헛웃음을 흘리며,
"하기사~.. 나 같아도 허름한 컨테이너 농막에 그 큰 돈을
감출리 만무겠지만……" 강경장은 사냥개의 촉을 최대한,
총동원해 내표정을 살피며 커피를 한 모금 마시고 말을
이었다.

43

"아버지 집과 농장과 대여금고.. 뭐든 다~ 뒤져도 단서가 없는게…, 경찰짬밥… 20여년…, 처음인데…, 성남시청 쪽에선 검찰수사 때문에 자기들 비자금이면서도 언론 탈까봐..서리… '쉬쉬' 입도 빵긋 안하고…, 단서는 없고… 혹시나 해서…."

어색한 침묵이 잠시 이어지며, '뚫어져라~' 내표정을 예리하게 살피는 이놈의 촉에 유인되어 덫에 빠질 것 같아, 억지 여유를 부리며 물었다.

"그런데 그렇게 큰~돈이 정말, 어딘가에 숨겨져 있을까요?"

…

"확실한건 아니고 수사를 해보니까…, 촉으로 감이 오는건데…."

단서가 될만하게 없어 실망한듯 강경장은 잔에 남은 커피를 입에 털어넣고 자리를 일어서며,

"그런데 그으~컨테이너는 지금 농장에 잘 있지요?"

난 얼떨결에,

"그럼요… 그 큰~게 다리가 달린것도 아니고 어딜 가겠어요…." 대답을 하곤, "아차…" 갑자기 후회가 됐다. '사실대로 당근에…팔았다고 얘기할 껄… 그랬나……

44

나중에라도… 괜히, 거짓말하는 넘이라는 의심을 줄필요가
없었는데….

'아~잰장…' 지금이라도 빨리 컨테이너를 사가지고 간
당근에게 연락해서 '두배로 줄 태니, 다시 팔아달라'고 예길
해볼까…….

난 자리에 앉아 한참동안 머리를 계산기에 돌렸다. 괜히 잘
있다고 예기해, 단서의 불씨를 남긴 건 아닐까?… 팔았다고
예기 할 걸 그랬나… 머리가 복잡해 진다….
그때,
아내에게서 전화가 왔다.

"어디야? 현대차 대리점에 차보러 안 갈꺼야?" 아내의
목소리는 꾀꼬리가 최고로 기분 좋을 때 짓어대는 절대
'쏠'음을 복사해 콧소리와 섞어서 국악신동 '송설희'의
'군밤타령'에 하일라이트 "와~이리~존~노"의 고음 부분의
"존~"에 그~ 톤, 그 절대 음 같은, 지금까지 들어보지 못한
흥이 믹스되어 행복한 사람들만이 낼수있는 그런 목소리였다.

"으…응 …그 래… 가고 있어… 잠깐만 기둘려…,
전화하면 1층현관으로 내려와~"

난 불안한 맘을 떨쳐버리지 못하고 고등학교때 담임이 내준
두둑한 숙제를 할 엄두도 못내며 집으로 향하는 무거운

발걸음을 집과 반대 방향으로 돌려 오락실로 가출하려 했던 아스라함이 떠오르며 집으로 향했다.

　시내버스를 타고 집으로 가다 문득, '오십억이 아닌, 놈이 말한 수천억이 혹시 컨테이너 어딘가에 더 있었던 건 아닐까?' 하는 생각이 퍼뜩 떠올랐다. 그 순간, 갑자기 심장이 '쿵쾅~' 거렸다.

　'천억이랬나… 아니, 이천억이라고 했던가…'

　'설마… 그럴리가….'
다시 컨테이너를 찾아서… 가지고 올까…….

　'현금다발이…

　분명히…

　오십억 밖에 없었는데…

　천장에도 있었나…

　벽 속에도 있었던 건 아닐까….'

9. 원주로 향하는 컨테이너

새벽의 여명을 뚫고 5톤카고 트럭은 곧게 뻗은, 텅 빈
중부고속도로를 신나게 달렸다. 조금만 늦어도 주말 나들이
객들로 옴짝달싹 못할 판인데, '운전 밥 40년, 잔뼈가 굳은
예감으로 서두른 것이 특효였다'는 통쾌함으로 혜은이의
'뛰뛰빵빵'을 휘파람으로 신나게 불며 엉덩이를 들 썩 거렸다.
화물차 드라이버들 만이 누리는 특권 같은 습관이라면, 음악
빵빵하게 틀어 놓고 목 찢어지도록 노래를 불러 재껴도 누구
한사람 뭐라할 사람이 없기에, 지루하고 졸린 직선에 가까운
고속도로를 가끔씩 크락션 까지 장단을 넣으며 목아지를
찢어지게 달군다.

영동고속도로를 만나는 인터체인지에서부터 막힐 것을
예상했는데… 역시… 영동고속도로를 들어서니 차들이 막히기
시작했다. 이럴 걸 예상해서 백전노장의 드라이버는 바로
이어지는 이천 톨게이트로 나와서 국도로 차를 몰았다.
고속도로 혼잡과 달리 국도는 아직 차들이 한산했다.
'고속도로 과적물 단속에 걸리지 않고 여기까지 이렇게 빨리
온 것 만도 운이 좋았다' 고 생각하며 여주를 지날 쯤,

새벽부터 갈증으로 먹어 댄 무우가 속을 쓰리게 하며 시간도 아직 이른데 점심을 부추겼다.

'떡 본 김에 제사 지낸다'고 한때 10여년전 '썸'을 탓던 돈까스를 기가막히게 만드는 '여주댁'이 떠올랐다.

통통하고 익살꾸러기 돌 씽 여주댁이 지금은 남자를 만나 재혼을 했는지 궁금하고, 보고도싶어, 점동면을 조금 지나면 도리섬이 나오고 거기서 남한강을 건너 부론면으로 가면 그 동네서 유명하고 소문난 돈까스집이 나온다. 맛도 맛이지만 넉살이 좋아서 오는 손님마다 농담, 진담, 잡담을 거의 다 받아줘, 중년의 드라이버들 사이에서도 인기가 최고였었다.

'지금은 그 이쁜이 얼굴이 어떻게 변했을까?' 궁금해하며 여주댁 식당을 거진다와서 굴곡이 심한 커브를 돌아 주차를 하려 할 때 차량 윗쪽 어디선가 '와장창' 소리가 났다. 5톤 카고차가 뒤집어 지는 줄 알았으나, 다행이 고목나무 기둥이 부러지며 차가 뒤집어지지는 않고 멈췄다. 백전노장의 드라이버 얼굴은 찌그러지며 차에서 튀어나왔다. 조수석 쪽 컨테이너 앞쪽이 고목에 걸려 일 미터 정도가 밀려나가며 찌그러져 버렸다.

"옛날엔… 이렇게 큰 나무가 없었던 거 같은데… 어쩌냐?"

'아~… 18…젓 됐당….'

48

컨테이너차량을 길가에 새우고 농협 하나로마트 건물
뒤쪽에 있는 여주댁의 돈까스 가게로 백발의 장발을 날리며
서둘러 다가가다, 돈까스 가게가 생선구이 백반으로 바뀐
간판을 보고 또 한번 욕을 뱄었다.

"아~따…소브럴…읍싸졌네~엥… 젓 됐네엥…" 어쩔수
없이 일단 생선구이라도 먹을 요량으로 매장문을 열고 들어가
바로 입구에 있는 빈자리에 앉아 운송장을 뒤져 전화번호를
찾아, 원주목적지 컨테이너 화물주에게 전화부터 걸었다.

"여보세용…." 카고트럭 사장은 기죽은 목소리로 백발의
늘어진 뒷머릴 긁으며 조심을 떨었다.

"예.. 사장님… 도착하셨어요?"젊은 여자의 목소리가 전화를
기다린듯 급하게 전화를 받았다.

"아니용… 그거이~ 아니고용……" 백발사장이 말을
떠듬거리자 답답하다는 듯,

"예..에… 길~찾아 오기가 좀…힘이… 좀..들어요…,
시골이다보니…, 길이 좁기도한데…." 답답함이 여자의
목소리에 묻어나왔다.

"그것이 아니고…, 오다가…, 사고가 나서 컨테이너 윗
쪼기가… 부셔졌는데에…용.." 카고트럭 사장은 몸에 밴,
습관적으로 최대한 애처롭게 목소릴 연출해서 예길했다.

"그럼..안되요~오…. 아버지도 엄청 기다리고 계신데요…"

…

젊은여잔 다시 물었다.
"많이 부셔졌나요?"

…

"예~잉… 윗쪽이 작쌀 났지용..히히히" 카고트럭 사장은
난처함에 헛 웃음만 보냈다.

"지가 수리 잘해서 저녁늦게… 아니 내일이라도 갔다
드릴께용…, 그럼, 안되겠싸여옹?"

"그럼 사장님…, 사진… 한 장만…, 사진찍어서 보내
주실레요? 원주 시골에 계신 부모님집이 너무 낡고 추워…,
전 서울에서 직장 다니는데... 더 이상은 두고 볼 수 없어서…
겨우, 부모님 설득을 해서…, 싸게 나온게 마침… 당근에
있어서 급매로 산 거 거든요…"

…

…

들고있던 카고트럭 사장도 헝클어진 뒷머릴 긁어대며…,
"베스트 드라이버 40 년!… 나도 이런 실수는 처음이라용…"
전화를 끄고 사진을 찍기 위해 일어나 나가려는데, 주방에서
많이 낯익은 '여주댁'이 다가왔다.

"어딜가세요…, 들어왔으면 먹고 가야지요…" 간들어지고
물기많은 여주댁의 목소리톤에 문을 열다 말고, 트럭사장은
뒤를 돌아, 새련되게 더 멋있어진 여주댁을 담박에 알아보곤
달려가 손부터 덥썩 잡았다.

"아이공… 옛날보다 더 멋쟁이가 되쓰용…, 바께서 보면
못~알아보게송… 더 젊어 졌으~졌으용?" 트럭사장의 입이
귀에 다을찰라, 여주댁은 카고트럭 사장을 알아보곤, '이게
얼마만이냐'고 손벽을 치며 반가워했다.

"옛날에 나랑같이 살자궁, 여주때기 엄청 쫓아다닌거 기억
나징… 그때, 여주대기를 내가 찬 거, 지금까지도 후회
되드라궁~"

사내들의 짓궂은 농담질에 이골이 난 여주댁은 여유를
뿜어대며 트럭사장의 말이 끝나기도 전에,

"뻥치는 인간 제일 싫어하는거 알면서도 오랜만에 보면서두
뻥을 치구 그래에…요.. 돈은…아니… 재산은 못~늘리구,
뻥만 늘었나봐… ㅎㅎㅎ~"

"아녀~ 그후로 집 두 샀는딩…"

"근데… 그, 큰~차도 없이… 차가 안보이네여…?"

51

"말두말엉…, 여기 오다가 쬬~오기 농협 앞 골목 돌다가
컨테이너 하나, 실코오던거~ 고목에 밀어 먹어썽…,

고쳐서 갔다 주려면, 돈이 많이 들꺼이 같은딩…, 배보다
배꼽이 더 클꺼~같공…, 그래서…,

그럴 바엔…, 내가, 우리집 마당에 놓고 창고로 쓸까,
생각도 들고옹~."

"그래요?…정말!! 잘됐네!…, 돈까스 하다가 생선구이로
바꾸니까…, 음식자재가 많아져 창고를 하나 지을까~
생각중이었는데…, 그거 내가 쓰면 되겠네…. 같이 가볼…,
아니다, 지금은 이른 시간이라 한가하지만, 점심때 바뻐
죽을것인데…, 준비해야 되니까… 차를 일루 가져오세요~
최사장님…"

"아적 내이름… 아니, 성도 기억하고 있는거~보닝,
여주댁이 날 많이도 맘에 묻고 있었는강…"

"그럼~요.. 찢어진 가슴 꼬매러 병원 월마나 많이
다녀는데..요" 물러섬없이 여주댁은 농담을 받아주었다.

그렁?… 잘됐넹…" 트럭사장은 서둘러 트럭으로 달려 갔다.

주차장으로 들어온 최사장의 5톤카고트럭에 실린
컨테이너를 살핀 여주댁은 컨테이너 파손된 부분을 사진 찍어

누군가에게 보내더니, 어디론가 전화를 걸었으나 통화중
이었다.

"어디다?… 누구!… 물어보겠…"

"예~에.., 우리 단골손님 중에, 아니 고종사촌 동생이
근처에서 컨테이너 공장을 하고 있거든요…, 고칠수 있나
물어 보게요.., 방금 사진을 보냈는데~."

잠시후 여주댁의 휴대폰이 울렸다. 컨테이너공장 이사로
있는 사촌동생이었다.

"여보세요?…누님!… 이사진은 뭐~예요?"

"응~ 혹시 이거, 모서리 찌그러진 거, 고치는데 돈이 많이
드나 해서…, 내가 요번에 컨테이너 하나 만들어
달라고 했었잖아?…. 혹시 수리비가 조금 들면…, 이거 고쳐 쓸까
해서….

"그래요… 잘~됐네요…. 새로 만들면.., 지금…시간도
없고.. 돈도 많이 들겠죠….그러니까.. 그냥 제가 돈 안 받고
보수해 드릴 테니, 그냥 그거 쓰면 되겠네요" 컨테이너 공장
박 이사는 전화를 끄려다, "그~대신 앞으로 생선 싱싱하고
살찐 놈으로 점심 푸짐하게 주셔야 되요…"하며 딜을 치고
끊었다.

트럭 사장은 여주댁에게 밥 차려 놓으라고 얘길 하곤 크레인으로
올라가서 여주댁이 지정해 준 주차장 구석 자리에 찌그러진
컨테이너를 내려놓고 기분 좋게 생선 뼈다귀를 발라
밥 숟가락에 올리며 원주 배송지 젊은 여자에게 전화를 걸어
'파손이 심해 고철로 폐기해야 한다'고 말하고 입금해
줄 계좌번호를 받아 적었다.

"맞나 확인해봐용,
국민은행… 125 다시.. 67789 다시… 01233.맞지용～?"

"예….맞아요… 100 만원 보내주시면 되요…"

"알았어용…"

옆에서 듣고 있던 여주댁은,
"싸게도 샀네요… 쎄거나 다름 업구면..요…"

"내가 그냥…창고로.. 쓸려다… 여주댁이 아직도 날 못 잊어
하는 것 같아 여주땍 주는 거니까.. 맘 변치～말엉…"

"알았어…요.. 오늘 점심은 내가 쏠께요.."여주댁은 컨테이너
100 만원을 오만원권 20 장으로 트럭 최 사장 앞에서 세어
보이며, 다시한번 최사장이 세어보라고 손에 쥐여주고
믹스커피를 한잔 타가지고와 "이것도 써비쓰요..
최사장니임～!!" 간드러지게 웃으며 평생 몸에 밴 습관적 식당

서비스 웃음이 경지에 오른 듯, 단골손님들을 기분 좋게 하고
있는 것이 틀림없어 보였다.

 최사장이 커피를 반쯤 마실 즘, 점심 손님들이 밀어닥쳤다.
트럭 최사장과 인사를 주고받을 틈도 없이 여주댁은 주방으로
밀려 들어갔고 최사장도 서둘러 트럭에 시동을 걸며 찌그러진
컨테이너를 바라보았다. "아깝긴 아까운데… 내가 쓸 걸
그랬나…." 반쯤 남은 커피를 입에 쏟아 붙고 기분 좋게
집으로 방향을 돌렸다. 트럭의 빠른 뽕짝 음악소리는 서서히
멀어져 갔다.

 바쁜 식당 점심시간이 막바지로 다다를 무렵에 박이사
컨테이너 공장 식구들이 들이닥쳤다.

 주방에 있던 여주댁은 컨테이너 공장 식구들을 보자 반갑게
달려 나왔다. 밑반찬을 알~바 아이와 깔며 박이사를 찾으니
없었다. "박이사 안 왔어?" 보름전에 새로 온 날라리같이
이쁘장한 신입 경리 여직원 아이에게 물었다.

 "이사님이요~?
밖에 있는 컨테이너 보고 계신데요!" 여자아이는 배가
고팠는지 밑반찬 골뱅이무침을 젓가락질하며 오징어를 골라
먹다가 창밖을 가리켰다. 여주댁은 틈을 놓칠까 서둘러
박이사가 있는 컨테이너로 달려나갔다.

박이사는 젊은 주임 남자애와 찌그러진 컨테이너를 살피며
여주댁을 보자 마침 잘 왔다는 듯 반갑게 웃으며,

"누님..이거 여기서 고치면 시간도 많이 걸리고 시끄럽게
소음도 소음이고… 아무튼 우리가 공장으로 싣고 가서 철판…
요기하고.. 요기.. 뜯고, 내부패널… 마감하면… 간단하거든요..
이따가 지게차 가지고 와서 싣고 갈께요~."

"돈 많이 들까? 동생…."

"아까 전화로 말했쟎아요… 그냥 해드릴 테니까 점심
반찬으로 '딜' 치자고요…"

"오우케이~~ 반찬 걱정은 말어.." 기분좋게 식당 안으로
박이사를 따라 들어가며 여주댁은,

"참… 수리 기간은 얼마나 걸릴까?"

"오늘 가져가면……"

박이사는 남자 직원에게 물었다.
"이주임! 이거 내일 점심 먹고 오후까지… 시간이… 수리할
수 있겠니?"

"신입 애한테 훈련 삼아 시키고, 내가 '한성 유통'꺼 치면서
거들면 금방 될거 같은데요."

56

박이사는 점심이 차려져 있는 테이블 자기 자리에 앉으며
내일 오후에 싣고 올 테니 준비해 두라며 특별 메뉴로 깔아논
아귀찜에 눈이 돌아가며 집게질로 서둘러 앞접시를 채웠다….

10. 박이사의 컨테이너 공장

다음날 파손된 컨테이너를 실어 온 공장은 새 상품 제작에 바삐 돌아갔다.

박이사는 사무실로 들어오는 이주임에게 물었다.

"어제 식당에서 실어 온 컨테이너, 오늘 오전에 작업이 되겠니? 내가 오후에 갔다 준다고 얘기했었는데….."

"제가, 새로 온 신입애 '광식이' 교육도 시키면서 철거요령도 가르칠 겸, 같이 작업하면, '한성유통'꺼는 요번주에 발송 되는데 빠듯할 거 같은데요."
믹스커피를 마시며 물량 배치 노트를 검토하던 박이사는 다 마신 종이컵을 왼손으로 쥐어 찌그러트리며,

"외부 작업은 오전만 하면 끝나겠지?"

"예~, 오전에 외부 철판 갈~바를 용접기로 뜯어서 새로 붙이고 내부 베다 판은 오후에 점심 먹고 배목수에게 '한성유통'꺼 치면서 잠깐 손보라면 간단하죠 뭐.. 그럼… 2시간 잡고…, 5시쯤 실어다 주면 될 꺼 같은데요"

박이사의 컨테이너 공장

"그럼 이따가 점심 먹을 때 식당 누님에게 5시쯤 실어다 준다고 하면 되겠네…"

문 열고 사무실을 나가는 이주임에게 이어서 말했다.
"이주임! 시간 안 될 거 같으면 신입, 광식이 시키고 '한성'꺼 마무리해!"

"예… 알겠습니다." 이주임은 공장 안 구석에서 내장 배다를 치고 있는 배 목수에게 오후 작업 일정에 식당에서 가져온 컨테이너 보수작업을 예기해 주고, 파손된 컨테이너의 그라인더 철거 작업을 하며 철판 갈 바를 거의 다 뜯어내고 귀퉁이 프레임마저 용접기로 절단하려 할 때, 공장 입구에서 단열 작업을 하던 털보가 '투덜투덜' 대며 이주임에게 다가왔다.

"이주임!! 여기서 이거 하고 있으면 어떻게 해요?…"
컨테이너 단열 우레탄폼 작업을 평으로 발주받아 물량이 많을 때 와서 작업하는 털보는 이주임보다 한참 나이가 많으나 일 처리가 빠른 이주임을 신뢰하며 일 욕심이 많아 쉬는 시간도 없이 일하는 쌍둥이 아빠였다.

"천천히 좀 하세요.., 사장님! 돈~더 주는 것도 아닌데요…"

"이주임이야 월급이니까 그런 말 하지만 난 여기 빨리 치고 이천 공장으로 넘어가야 한다고…." 털보는 한시가 급하다는 듯 이주임을 데리고 한성 물량 작업장으로 끌고 가려 하자,

이주임은 신입 광식이에게 산소용접기를 넘겨주고 작업
방향과 순서를 알려주며 '안전숙지'를 주의주고 털보를 따라
단열 폼 작업하는 현장으로 이동해 커버 작업을 도왔다.

 신입직원 광식이는 공고를 졸업하고 군대를 갔다 와
여기저기 여러 공장을 전전하다가 컨테이너 공정이 적성에
맞는다며 3개월이 지났는데도 지루해 하지 않고, 열심히
일하며 컨테이너 공장에서 미래를 실현해 보고싶다며
회식자리에서 술기운이 오르면 가끔 이주임에 포부를
예기하는 건실한 청년이었다.

 아직 의욕은 넘치지만 컨테이너 작업 공구들이 손에 익지
않았는지, 신입이라 많이 서툰 작업들이 눈에 띄어
박이사에게 종종 주의를 받곤, 서둘러 급히 대충하는 버릇을
고쳐 나가고 있었다. 이주임이 주고간 용접기에 불꽃을
약하게 조절하여 천천히 섬세히 절단 작업을 하고 있는데,
박이사가 지나가다 그걸 보곤, '철거작업은 용접기 불꽃을
강하게 하여 신속히 뜯어내야 내장물과 단열재에 손상이 적게
간다'며 설명해 주고 '점심시간 다~됐으니까 서두르라'고
주의를 주고 도장작업 파트로 갔다.

 신입 직원은 박이사가 알려준 대로 용접기 불꽃을 최대한
키우고 신속히 용접철거를 해 나갔다. 가끔 단열재와 내장
합판에 불이 붙었으나 손바닥 부채질과 입으로 불어서 끄며

박이사의 컨테이너 공장

빠르게 철거작업을 해 나갔다. 마지막 기둥 쪽, 찌그러진 윗부분을 절단하고 오전 작업을 마무리하니 점심시간이라며 이주임이 공장 작업자들을 모아 봉고차로 내몰았다. 경리 여자애는 두리번거리며 신입 직원 광식이을 챙겨 운전석 옆 두자리에 나란히 앉고 흐뭇해 했다.

여주댁의 생선구이 식당으로 향하여 자리에 앉자, 몰라보게 달라진 고급어종의 생선들을 젓가락질도 없이 손가락을 쪽쪽 빨아가며 초등학교 운동회의 마지막 크라이 믹스를 장식하는 부모님 이어달리기에서 '내 세끼들에게 뭔가를 보여줘야 한다'는 의지로 달리던 열정까지는 아니지만 이 세상 종말을 예견한 물개들이 사냥한 생선을 앞다퉈 뜯어먹듯 공장 식구들의 뱃속이 반쯤 채워져 벌어진 입으로 갈치 비늘이 튀어나오도록 농담을 주고받으며 매운탕이 끓어 넘칠 즘, 소방차가 싸이렌을 울리며 컨테이너 공장 방향으로 달려갔다.

다들 여주댁의 생선 굽는 요리 실력에 백 점이 아깝다고 일취월장을 논쟁하고 있을 즘, 박이사 핸드폰이 울렸다.

"예?... 불이라구여…, 공장에…???"

신입 직원이 용접 철거 작업을 하며 용접불꽃이 너무 강했었는지, 컨테이너 철판과 내장 합판 사이로 꼼꼼히 넣은 30 미리 스티로폼에 작은 불씨가 살아 있다가 점심 식사로 공장에 사람이 빈틈을 타 서서히 불이 번져 여주댁의 수리

중인 컨테이너는 홀라당 다~ 타버리고 말았다. 소방차가
도착한 후에는 다~타고 철판과 철골 뼈대만 잔불 줄기에
춤을 추고 있어서 물줄기 몇 번 뿌리고 소방차는 철수했다.
다행히 불이 난 컨테이너는 공장 주차장 복판에 홀로 있어서
다른 피해 없이 달랑 다 타고 말았다.

 잠시 후 도착한 공장 식구들에게 소방 팀장이 박이사를 불러
화재 원인 조사서를 작성하며 물었다.

 "컨테이너 내장 단열재가 우레탄폼 불연재 아닌가요?"
작년부터 불연재 우레탄폼을 뿌려 컨테이너를 제작하던
박이사는 당황하여, "아닙니다… 우린 저기 저 털보.., 아니
저기 옷에 누렇게 폼이 덕지덕지 묻은 사장님이 외주로
불연재 우레탄폼으로 단열을 합니다."

 "그런데…왜…?" 소방 팀장은 조사서를 작성해 나가다 의아
하다는 듯 박이사를 쳐다봤다.

 "그게 말입니다. 식당 누님 걸… 파손돼서, 가져와 보수해
주다가… 우리 것이 아니고… 다른 공장 컨테이너다 보니…
아직도 이런 30 미리 스티로폼 쓰는 영세한 공장들이 있다
보니…, 원…."

 "아무튼 큰 피해 없어 다행입니다." 다음 주에 한 번 더
나와서 조사하러 방문을 한다고 얘기하고 소방 팀장이 떠나자
이주임이 걱정스러운 얼굴로 박이사에게 다가왔다.

박이사의 컨테이너 공장

"어떡해요… 이사님?"

"이만하길 천만다행이지 뭐…. '액땜했다' 치고, '세종 고물상' 사장 보고 와서 가지고 가고… 고철값 잘 쳐 달라 하고… 식당누님네 돈 물어 주느니, 원가야.. 뭐~ 얼마 안 드니까, 새로 만들어서 갔다 주자고…."

"예~ 알겠습니다." 이주임은 머뭇거리다,

"신입직원은 혼 좀 내줄까요?"

"냅 둬라~ 갸가 뭔 잘못이 있냐… 일을 시킨 우리 잘못이지…"

말 끝나기 무섭게 사무실로 올라간 박이사는 여주댁 식당으로 전화를 걸었다.

…

"누님 전데요… 다행히 큰 사고는 없고 …"

"그래… 다행이네.."

"그런데 누님네서 가져온 컨테이너만 홀랑.. 타~ 버렸네요…

어쩌지요?.. 돈으로 돌려 드리기도 그렇고 새로 하나 만들어 드릴 려는데… 시간이 보름 정도 걸릴 거 같고…"

"아냐…. 냅둬… 일부러 태운 것도 아니고… 그냥 고쳐 주려고 맘쓰다 그런 것인데… 그냥 냅~둬.."

"아니…아닙니다...누님.. 새로 하나 만들어 드릴게요… 정말.. 이만하길 천만다행인데요 뭘…"

"동생… 아냐~, 그냥 냅~둬…. 나 그거 없어도 문제없어… 밥만 많이 먹고 가~" 여주댁은 서둘러 전화를 끊어 버렸다.

'큰불 난 줄… 걱정했는데… 그만하길 천만~다행이네...' 안도를 하며 여주댁은 사촌동생인 박이사를 위로하며 가슴을 쓸어내렸다.

11. 조춘자의 집으로…

강경장은 담배에 불을 붙이며 허름한 빌라의 우편함을
라이터 불로 비추며 주소를 살폈다. 직업소개소 헐렁이가 준
주소의 201호 창문을 살피니 거실과 안방 쪽 불이 켜져
있었다.

빠른 걸음으로 계단을 올라가 201호 문을 오른발 앞꿈치로
가볍게 '툭툭' 쳤다. 집안에서 인기척이 들리는 것 같았는데
tv 소리도 꺼지며 고요히 잠깐동안 정적이 흘렀다. 강경장은
고요을 깨고 "택배요~"를 소리치고 앞집에 놓여있는
택배상자를 집어들고 기다렸다.

잠시 후 문 여는 소리와 안전고리를 거는 소리가 들렸다.
현관문을 왼쪽 눈동자만큼만 '삐꼼' 열어 택배를 확인했다.
계단을 한걸음 내려가 안보이게 강경장은 숨으며 들고있던
앞집 택배상자를 문 앞으로 보이게끔 던지며, "택배
라구여…"를 다시 외쳤다. 문이 열리며 택배상자를 집어
들려는 순간, 강경장이 문을 활짝 열어 제치며 문안으로
들어섰다. 조춘자로 보이는 여자가 세안 중이었는지, 머리에

수건을 덥어 묶고, 낯 선 사람이라 당황한 듯 놀라며 입을
열었다.

"누구…세..요??" 얼굴의 오른쪽 볼을 문지르다 입을 가리며
놀란 듯 강경장을 살폈다.

"아~예, 분당서 범죄 조사과 강 경장인데…여…"
주머니에 준비해둔 신분증을 꺼내 보여주며, 조춘자를
집안으로 밀고 신속히 현관문을 닫았다. 조춘자는 겁먹은
상태로 뒷걸음질 치다, 방 문턱에 걸려 방바닥에 주저앉았다.

"아니… 뭐~ 죄~지은 거 있어요… 그렇게 놀라게…" 거실
소파로 걸어가 다릴 벌려 양손을 무릎에 받치고 앉으며
조춘자의 표정을 살피면서 말을 이었다. 화장기 없는
얼굴인데도 tv 탤런트 중견 여배우 이경진을 닮은 것
같은데… 이쁘장하고 생각보다 젊어 보였다. 이력서의
사진으로 조춘자의 얼굴을 머릿속에 새겨 놓았기에
조춘자라는 걸 알면서도 다시 습관처럼 물었다.

"조춘자 씨.. 맞지요?"

 머무는 시간이 늘어질 걸 대비해 강경장은 등을 깊쑥히
소파에 지대며 한쪽 다릴 꼬고 편히 자세를 바꿨다.

 그때…
화장실 문이 활짝 열리며 낯 선 남자가 칼을 새워들고

강경장에게 달려들었다. 강경장은 별로 대수롭지도 않은 듯
꼰 다리를 들어 남자의 복부를 차버리니 남자는 비명을
지르며 싱크대 앞에 꼬꾸라졌다.

"넌 또 뭐냐?" 가소롭다는 듯, 강경장은 낯 선 넘을
비웃으며, 칼을 고쳐 잡고 다시 공격 태세를 취하려는 놈을
노려보며 목소릴 깔고, "장난감은 티~테이블에 올려 놓고
무릎 꿇고 거기 앉아 있어…"

그때, 조춘자가 조심스럽게 남자에게 말을 거들었다.
"자기야… 형사님이셔… 죄송하다고 하고… 형사님 말
들어…"

그때서야 상황을 정리한듯 " 형님 죄송합니다…강도..
아니..도둑.. 나쁜세끼~인줄…죽을 죄를 졌습네다… 용서
해주세요… 난~또… 본토 난징파 애들 인 줄알고…" 남자는
자세를 고쳐 무릎을 꿇고 싱크대 옆에 쭈구려 앉았다.

"니들 다~죽기 싫으면 내가 묻는 말에 약~타면 안된다.."
담배를 빼물고 남자 옆에 무릎을 꿇고 나란히 앉아 있는
조춘자를 노려보며 말을 이었다.

"얼마전에 간병하던 홍사장 노인네 말이야…"

"예… 홍사장님이요…" 조춘자는 이 상황을 벗어날 수
있다면 뭐든지 하겠다는 적극성을 보이며 진지하게 대답했다.

"홍사장 죽은 건 알지..?"

"예..에.." 남자도 함께 대답을 했다.

"넌 말고… 눈 감고 손들고 있어…" 강경장은 재떨이를 던지려는 시늉을 하고 내려놨다.

"네~에.. 알겠습네다…" 남자는 군기가 바짝들어 있었다.

"홍사장 간병하며 뭐 들은예기 있으면… 아니….기억 나는 거 있으면 말해봐…. '금고' 라든가… 어디다 뭘 감췄다든가…. '코인' 이라든가….'유가증권'…아니면, '금괴'등등.. 뭐 들은 거 있어?"

"그렇찮아도 돈이 꾀 있는 것 같아…내가 엄청 주물렀지여… 틈 만나면 온몸구석구석 주물러주니, 처음은 만원짜리 몇 개 주더니 3개월 지날쯤 인가… 오만원 짜리로 집어 주더만요… 아무튼 구석구석 만지는 것 까지두 그냥 두니까, '같이 살림 차리자'구 하며 침대 밑에서 오만원권을 한움큼 쥐어 주곤 뭐… 별다른 건 없었는데요…"

"잘 생각해봐라… 위조여권으로 엮어… '고향앞으로~' 하기 싫으면…"

"안돼요….우리 지금가면 다~아 죽씁네다…"남자가 거들었다.

"어~ 이세끼가~ 너~ 말하지 말랬지…" 강경장은
나이타를 들어 남자에게 던졌다.

"춘자야! 그~ 예기하라우… '비아그란'가 뭔가 맥이구 하구
나니까, 그지 깡통속에서 동전이 가득한데 종이루 바꿀까
말까…하며…"

"어?...어!… 넌 조용히 하라니까…이게 죽을려구~" 강경장은
손바닥을 들어올려 치려고 일어서다, 다시 자리로 가 앉았다.

"죄송합네다~, 합죽이가 됩시~다, 합!" 남자는
검지손가락으로 입술을 막으며 조춘자를 곁눈질하며 모든 걸
말하라고 눈짓했다.

"조춘자가 말해봐~, 그래서!…"

"아~~~, 그래서 예기 한대루, 비아그라 맥이구 혼을
빼놓으니까, '같이 살자구~' 헛소릴 하기에 뭔 얘기냐구
하니까… '깡통에 묻어논 동전이 쫌 있는데, 그걸루 가게 하나
얻어준다'구, 말하기에, 정신이 오락가락해서… 동전이
아무리 많아봐야, 아니, 몇~깡통 해 봐야 몇 푼이나
되겠어요. 침대 밑에 돈이 득실득실한데…, 무시하고 말았죠..
그런 거 말고는 …."

"그리고~또, 뭐 있는지 생각해 봐!…"

강경장은 눈이 마주친 겁먹은 남자를 향해 "이~전마니가 말할 차례네, 말해봐!"

"춘자~아~, 또~ 있잖아~, 아들노미~ 교도소에 있는데 나오면 자길 죽일지 모르니, 용돈 줬다는 예기 입도 꺼내지 말라고이…, 나오면 경찰에 신변보호 요청하라구…."
강경장은 이제서야 집 내부를 훑어보며 수상한 것이 없나를 살피며 물었다.

"또?…"

"그러구이~ 없습네다!" 둘이 동시에 고개를 좌우로 흔들었다.

"여~집에 금고 있나?"

"없습네다~!" 또다시 두 사람 동시에 합창이 나왔다.

강경장은 직감적으로 거짓이 아니라는 걸 알 수 있었다. 그래서…, 홍사장한테서 뜯은 돈이 전부 얼마야…?"

"뜯은~거이 아닙네다~, 수고비… 아니, 봉사료지요.."춘자는 기겁을 했다.

"고향 앞으로 한다!" 강경장이 중국으로 보낸다는 말에 남자가 기겁을 하며 입을 털었다.

"삼천인가…, 삼천오백인가…?" 춘자에게 속삭이니, 조춘잔
" 삼천오~배액," 하며 남자에게 화를 내며 말을 이었다..

 "받아서…리, 상하이 취업 브로거 삼천 뜯기고 오백 있는
거 생활비 쓰고 지금은 한 푼 도 없습네다요!"

 남자가 말을 이어,

 "형님… 정말 억울해 죽겠습네다~. 취업비자 비용 2 천만
원에 이자 천만원해서 다~아 줬는데.. 이자가 아직 2 천만
원이나 남았다고…, 죽인다고…, 장기를 팔아버린다고
난린데… 난리니, 어쩌면 좋습네까…."

 나올게 다~아, 나온 걸 직감한 강경장은 일어서 나오며
한마디 거들었다.

 "그러니까 뭐~ 뻘~났다고 이천씩 주고 한국에 와~, 이
짜장면들아…~." 빌라를 빠져나오며 아무런 소득 없는
탐문이 답답한 듯, 담배를 하나 꺼내 물어 깊이 들이 마셨다.

 '아무런 단서가 없네….' 강경장은 분당에 있는 단골
포장마차 술집으로 차를 몰았다.

 성급히 201 호 문을 닫지도 않고 떠나버린 강경장을 계단
오도리 창문까지 나와 확인하곤, 현관문을 급하게 걸어
잠갔다.

조춘자가 머릿수건을 풀어 던지며, "자기가 감춰둔 오천만 원 얘기할까봐, 심장이 조마조마했네~."

"누가 할~소리래…,
난 춘자가 얘길 할까봐리~ 잔잔 바리들을 까며 춘자 입을 막느라 애~묵웃는데."

조춘자는 얼굴에 크림을 바르며, 눈꼬리가 올라가더니 "그 돈 없으면 우린 끝이야~ 끝…. 자기도 알~지비? 무덤까지..."

조춘자와 남자는 홍사장이 병간 말기에 간암이 온장기에 퍼지고 치매가 점점 심해져 헛소리에 막바지로 다 다를 즘, 비몽사몽 홍사장의 실언을 듣고 홍사장이 살던 집 안방 욕실 천장 환풍구 비트 통로에 끈으로 매달아 감춰 논 오천만 원 검정 비닐봉지를 쥐도 새도 모르게 훔쳐 왔었다.

"춘자~, 우리 그냥 이 돈 가지고 고국으로 가버릴까???" 남자는 물 한잔을 딸아 마시며 조춘자의 눈치를 살피며 말했다.

"옛날의 중국이 아님 메~, 지금 이거이 가지고~ 중국 가봐야 붕어빵 장사도 못함메~." 조춘자는 거울 너머로 남자를 보고 쏘아붙이며 얼굴 마사지 손가락에 힘을 실었다.

강경장의 차는 분당 지하철 정자역을 지나고 있었다. 출출한 뱃속에 갈증으로 목도 타는 저녁, 이럴 땐 밥보다도 소주 첫

잔의 싸한 알코올이 목구멍을 타고 넘어가면 혀끝부터 타는
듯한 짜릿함이 위장까지 넘어가 바로 머리통이 찡하며
잡생각을 멈추게 하는 지우개 같은 중독성 음주 욕구가
운전을 급하게 단골 술집으로 망설일 틈 없이 내몰았다.

12. 농장의 새벽하늘

나도 모르게 깜빡 졸았다. 시계를 보니 새벽 2시였다. 안방에서 자고 있는 아내를 조용히 깨웠다. 한동안 몸에 부종이 너무 심해져 얼굴이 많이 부어 있었기에, 내과 여기저기를 다니던 중 유튜브 의학채널을 보니, 장기간 혈압약 복용의 부작용이라는 내용을 보곤 일년정도, 약을 조금씩 줄여 나가며 최근엔 완전히 끊었다. 그러고 나서부턴, 코골이를 달고 살던 아내가 부기까지 빠지고 목살마저 빠지더니 코골이를 안 하는 게 불안해서 아내의 코에 오른쪽 귀를 가까이 대보니 힘차게 숨을 쉬고 있으면서도 코를 골지 않는 것이 신기했다. 현대의학의 '의약품'이라는 것이 신속한 병 치료 개선에 대한 장점도 있지만 부작용도 만만치 않은 단점도 있다는 걸 생각이 끝나갈 즘, 아내가 깨어났다.

하품을 연거푸 하며 옷을 챙겨 입은 아낸, 여행용 가방을 꺼냈다.

"여보 너무 크~잖아~, 남들 눈에 띄면 어쩔려구…, 그냥 조그만 종이 백이나 검정 비닐봉지 하나 가지고 가서 쓸~만큼만 꺼내 오자구~."

"차~깝시, 일억 오천인데 한 장은 꺼내 와야지요….."

"천?"내가 농담 투루 물으니,

"에이~씨~~~왜~그래… 억~!" 표정도 안 바뀌며 '억~' 소릴 냈다. "아직은 시기상조…, 아니, 이른 것 같으니까, 조심 조심하자구."

새벽 공기를 가르며 쏜살같이 달려 농장에 도착했다. 상추밭 귀퉁이부터 흙을 걷어냈다. 아낸, 손전등를 가져와 비추며, 이쪽이 아니고 더 옆쪽을 파야 하는거 같은데…."

나는 깜짝 놀라, "여보~ 불 꺼…. 누가 보면 어쩔려구 그래…."

"보긴 누가 봐…,   이런 새벽에…."

"그래도 불은 꺼~."

"불~끄면 뭐가 보여…여, 아무것도 안 보이는 구만요…."

"아냐…, 불 꺼, 내가 묻어 놔서, 안 봐도 구만~리야…." 냄비 뚜껑만 한 돌덩이들을 걷어내고 검은 비닐을 벗겼다. 그리고 하얀 피피 마대 한 자루를 꺼내 차 트렁크에 실었다. 그리곤 다시 돌덩이들을 덮고 감쪽같이 삽질로 흙을 덮었다. 그리고 뿌리째 뽑아 놓은 상추들을 그 자리에 간격을 맞춰 다시 심었다. "감쪽같다~" 아내가 소리 나지 않을 정도로 손뼉을 쳤다. 내가 봐도 달빛에 비친 텃밭이 돈 무덤 티 나지

않게 완벽히 위장되어 있었다. 처음에는 가슴이 두근거리며
겁나더니, 동네 근처 스타필드를 지나 고개를 넘자, 스릴이
넘치면서 긴장감은 성취감으로 바뀌고 어느새 자신감으로
변해 세상 무서울 게 없다는 용기가 차 안을 가득 채웠다.
그때 자동차가 다시 경운기 탱크소리로 변했다.

"아이~ 깜짝이야..."
아내가 오버해서 나 들으라는 듯 짜증 반 섞인 모션을
취했다.
나도 태연히 놀란 척 아내에게,

"여보 괜찮아?" 장단을 맞춰 과장해 말해줬다.

"일단 내일, 자동차 대리점에 천만원 계약금 주고 최대한
빨리 차를 뽑아 달라고 얘기하자!"

"여보~ 내~이리 아니고, 오늘이야… 벌써 새벽
4 신데…"

"아~ 그렇지, 미안!"

물질이든…, 마음이든…, 무엇이 됐든, 넘치면
여유로워지며 배려하는 마음과 양보하는 미덕이 흘러나온다.
아내와 수십 년을 살아오며 생긴 크고 작은 갈등들은 결국
부족함을 채우지 못해 분배하는 과정에서의 의견 차이가
대부분이었던 것 같다. 가진 것이 풍족하면 어느 한쪽으로

조금 치우치고 넘쳐도 개의치 않는다. 표도 나지 않는 작은
차이를 가지고 피 터지게 싸울 필요도 없다. 싸우다 보면
결국 그 작은 차이는 커다란 벽으로 막히고, 서로 넘지 못할
성격차이로 돌리며 이혼을 들먹거리다가…, 결국, 걷잡을 수
없는 사태로 번져, 법원 문턱을 들락거리는 상태까지 내
몰리고 서야, "아차…"싶어, 늦은 수습으로 허둥지둥 고초를
겪는다.

돌이켜 보면 그런 허둥대며 살아온 날들의 일상이 아물지
않은 크고 작은, 지워지지 않은 상처로 차창 유리에 희미하게
반사되며 지나갔다.

긴장이 풀리고 뜨거운 히터 바람에 졸음이 몰려와 졸고
있는 아내에게 말을 걸었다.

"언뜻…, '당근'보니까, G90 만 오천 뛴거 백색인데,
새거나 다름없더라구…, 싸게 나와 있더구먼." 한 쪽 눈만
빼꼼 뜨고 안타까운 표정으로,

"당근은 이제 졸업하세여~, 거기 학비 없고 가진 거 없는
가난한 젊은 애들 노는 데니까…."

아내의 말을 듣고 보니 난 지금까지 가난에 중독되어
있었다는 생각이 문득, 들었다. '가난중독' 또한, '아편중독'
만큼이나 지독해, 죽을 때까지 중독에서 벗어나질 못하고
90 살까지 살고 간 동네 어르신 '최돈산'이 생각났다. 한평생

77

'복덕방'을 하며 동네 급매로 싸게 나온 부동산들을 잡아
뒀다가, 물건을 찾는 손님이 나타나면 비싸게 팔아 치우며
'지독한 최돈놈!'이라는 욕을 먹어가며 돈을 모아, 동네
복판에 6층짜리 빌딩을 지었다. 건물 위치가 워낙 좋아,
꼭대기 층 독서실부터 이비인후과, 미술학원, 약국,
피자가게와 은행까지 임차인들이 꽉꽉~차서 아우성으로
돌아갔다. 그렇게 임대료를 긁어모으면서도 건물 중간에
10평 크기의 복덕방을 조금씩 줄여 나가며 세를 놓고
좁히더니, 결국 귀퉁이 한 평 남짓 되는 좁은 곳에 간판만
겨우 달고, 그렇게 많이 들어오는 월셋 돈도 성에 안 차,
복덕방을 밤낮으로 지켰다.

　가끔 찾는 부동산 손님들은, 가게를 들어갔다가 기겁을
하며 튀어나오기 일쑤였다. 나중에 동네에 도는 얘길
들어보니, 얼마나 지독한지, 그 좁은 가게 안에 이십 리터 말
통을 구석에 놓고 오줌을 받아 놔, 시간이 지나면 지린내가
진동해 장난이 아니라며, 손님들이 코를 막고 도망 나오기
바쁘다고 했다. 그래서 하루는 최돈산과 친한 동네 노인네가
"가게 안에 왜 냄새나게 오줌통을 받아 놓고 있나?"라고
기분 나쁘지 않게 물으니,

　"오줌을 모아 났다가 자기 집 마당에 심어 놓은 상추와
각종 야채에 거름으로 뿌려주면 기가 막히게 좋다!"라며 친구
노인네에게도 해보라고 열변을 토하며 '비닐봉지에 조금

따라준다'고 팔짱을 끌고 놔주질 않아 애먹었다고 학을
토했다. 여름에는 반팔 런닝구와 끈 묶는 반바지에 하얀
고무신이고, 겨울에는 누더기 된 솜옷 한 가지가 수십 년의
일상이었다. 일찍 상처한 '최돈산'에게 돈 하나만 보고 여러
여자들이 붙었었지만, 실컷 농락만 당하고 노랭이 질에 치를
떨며 '야반도주'가 다반사였다. 결국 시간에 장사 없듯,
고스란히 누더기 빤스 바람으로 노환에 비명 횡사하여
자식들만 호강 시켜줄 결말을 못 보고 갔겠지만, 살아 숨쉬는
현재만 당연하게 여기며 죽음을 향해 달려가야 하는 시간의
모진 채찍질은 일상의 습관이 되어 까맣게 잊고 살다가,
허망하게 가고마는, 수전노 노랑이 꼬리표를 동네에 구석구석
처바르고 떠나갔다.

13. 분당의 포장마차

 강경장이 포장마차의 문을 열고 들어가니 손님들로 꽉 차 있었다. 카운터 옆 배식구, 오른쪽에 겨우 빈자리를 찾아 앉았다. 주방 뒤 쪽으로 통하는 마당에서 숯 불통에 불을 붙이고, 숯덩이를 들고 쪽문으로 들어오던 포차 사장이 둥근 테이블에 앉아있는 강경장을 확인하곤 반갑게 다가와 말했다.

 "형님~! 말도 읍시~ 웬일이세요, 요즘 뜸해서 뭔 일 있나 했는데…." 강경장의 숨겨둔 정보원 노릇과 왼팔 노릇을 하는 몇 명 중에 한 명인, 40 대에 덩치 큰 떡대의 포차 사장 '박사범'은 웃으며 강경장 앞에 숯 불을 들고 앉았다.

 "야~아, 무섭다~, 아… 야~임마! 빨리 숯불 갔다 놓고 와…라…, 자쓱.. 아니.., 술이나 가져오고, 바쁜데…, 손님들부터 봐라…."

 "아이고~~ 나~아~참나…, 오랜만 이라서리…ㅎㅎㅎ" 포차사장은 숯불을 들고 손살같이 손님 테이블로 달려갔다.

 경경장이 오징어 볶음과 고등어구이로 소주 두어 병을 다 마실 즘에 손님들이 하나 둘 빠지며 한가해져갔다. 강경장이 두 번째 병의 막 잔을 비우자, 누군가 새 소주 병을 들고 와, 강경장의 소주잔을 채우며 자리에 앉았다.

포차 사장 '박사범' 이었다. 폭력 전과 4 범이라 강경장은
'전과사범'에서 '전과'를 빼고 성을 붙여 '박사범'이라고
불렀더니 주변사람들도 진짜이름이 '박사범'인줄 알고
'사범'이라고 불렀다.

"형님~! 어쩐 일이에여~?"

박사범이 자작으로 따른 소주 한 잔을 들이키고 손가락으로
깍두기를 집어 입에 넣으며 맵고 신맛에 콧등에 주름을
만들어 찡그리며 물었다.

"너~보고싶어…, 너~ 보려고 왔다~." 이마에 주름을
잔뜩 잡고 충혈된 눈으로 강경장이 말하니,

"단골손님들 들으면 우리가 무지갠 줄 알겠네여…."

"무지개가 뭐냐?"

"거~어… 있잖아요…, 얼마 전에 시청에 동성 모임 축제
하네~, 못하네~, 방송에서 난리더만…. 갸네들 행사장에
무지개로 도배하잖아요~, 갸들 상징이 무지개라구.. 다들,
가슴에 표식으로 무지개 마크 하나씩 달구 나오더구먼요!"
사범이의 '기본 상식도 모르냐?'구 비웃는 말투에,

"아~ 그 호모쎅끼~ 드~을~?" 박경장은 취한 듯,
말꼬리가 뭉개졌다.

"야~이, 임마~, 사범아~ 그래도 나한테, 호모쎅끼가
뭐냐?" 손바닥을 들어 올려 사범이를, 치려는 시늉을 하다가
방금 뭔가 생각난 듯, 손을 걷으며 물었다.

"근데… 너 포장마차 새로 지었냐? 완전 새 건물이네???
크기도 두 배로 커졌고…, 돈 많이 벌었구나~, 짜~식~"

"ㅎㅎㅎ~, 아이고 형님~, 그게 아니고 기존에 낡은 포차
헐고 컨테이너 3*9짜리 두 개 붙여서 꾸몄지…, 건물을
지긴 누가 져요…, 이제, 앞으로 몇 년이었다가 진짜로
져야지여!"

"아~그래? 이게 컨테이너냐?…, 그런데 감쪽같네…,
쇳쪼가리 티도 안 나고?"

"안팎으로 인테리어를 깡그리~ 했죠~."

"신축 건물 같네~!" 소주를 사범이에게 따라주며 말했다.

그때 사범의 동거녀가 돼지갈비를 구워 담은 접시를
내밀려 "오빠~, 오랜만에 왔어요?" 하며 사범이의
소주잔을 한 모금 마시곤 박경장의 빈 잔에 술을 채웠다.

"아~ 쓰네…, 오랜만에 마시니까."사범의 동거녀는
손바닥으로 주둥이를 닦으며 인상을 썼다.

"미자야 근~데~, 왜 밖에 간판이 없냐?" 미자가 따라준
소주잔을 마시며 강경장이 물었다.

"오빠~, 예전이야, 이름이 없이 '포장마차' 였잖아..,
그런데 요번에 깔끔하고 근사하게 이름 하나 지어서 간판
달려고 신중하게 생각 중이야…."

"그럼 뭘로 질~거냐? 생각하고 있는 건 있냐?"

"아직요…." 미자의 말이 끝나기 무섭게 카운터 앞에서 나가는 손님들이 신용카드를 흔들며 '사장님!' 하고 미자를 불렀다. 미자의 식재료 아끼지 않는 넉넉함에 대부분 단골 손님 들이었다.

조금만 더 취하면 개차반으로 변하는 강경장의 버릇을 너무도 잘 알고 있는 포차 사장 사범이는 눈치 빠르게, 강경장에게 용돈을 쥐여 주고 택시를 불러 집주소와 만 원짜리를 택시기사에게 건네주고 잘 모셔 달라고 부탁했다. 강경장이 뒤를 봐주고 있기에 자리 잡고 장사하는 걸 사범이는 잘 알기에 강경장에게 극진했다.

잠결에 택시에서, 집 앞에 내린 강경장은 술이 취해 괜히 화가 났다. 2차로 '멜로디'노래방에서 마담 미숙이하고 한잔 더 하고 집에 오려 했는데 일차만하고 집에 와 버린 게 속상했다. 시계를 보니, 겨우, 밤 10시였다. 강경장 입에서 욕이 나왔다. "아직 열신데…, 벌써 집구석까지 와부렀네, 쌔에~팔…?"

강경장의 집구석은 폭력과 난동에 못 버티고 몇 달 전 집을 나간 아내와 중학생 딸년이 접근금지를 걸고 잠적해버려 절간보다 더 썰렁했다. 그런 빈 집구석을 술이 취하면 더더욱 강경장은 기어 들어가기 싫었다.

계장의 강제 사표 종용에 이도 저도 못하고 혼란만 강경장의 술기운을 깨웠다.

　강경장은 다시 택시를 타고 시내로 가려다, 길을 건너 오래도록 길바닥을 뒤져도 택시가 없었다. 참 신기한 건, 평상시 운전하며 집으로 올 땐, 그렇게 많은 택시들이 난폭운전과 폭주를 일삼으며 도로를 메우고 있더니, 어쩌다 한번, 꼭 타려고 하면, 눈 씻고 찾아봐도 없는 게, 매번 신기하다고 생각한 강경장은 길 건너 뒷골목에 옹기종기 모여있는 '찻집'으로 가서 '맥주한잔 찌끄리고 마무리해야 겠다~.' 생각하고 길을 건너 간판과 네온이 분홍색으로 떡 칠 한 촌스런 찻집으로 들어 갔다.

　오십 대의 늙은 마담은 왼쪽 송곳이가 빠진게 보일정도로 입을 찢어 웃으며 강경장을 껴 안다시피 끌고 와 칸막이가 있는 소파 자리에 앉혔다. 시키지도 않은, 찻집에만 공급되는 한 잔 겨우, 나오까, 말까, 하는 제일 작은 병맥주를 박스로 놓곤, 5 병이나 뚜껑을 따며 강경장 입에 쏟아 부었다. 그러기를 무섭게 주방에선 마른 안주와 과일안주를 양손에 들고, 약간, 들~ 늙은, 40 대 후반의…, 입술에 빨강 루즈를 잔뜩 바르지 않았으면,

여잔지…,

남잔지…,

구별조차 어려운 아줌마가 안주를 내려놓기 무섭게 강경장의 닫힌 입에 대충 깎은 사과를 쑤셔 넣었다.

　남자는 술이 취하면 세상을 둘로 본다.

'남자 아니면 여자…'

아니다….

남자라도, 치마입고 입술 바르고 침을 질질 흘리고 있으면
눈이 돌아간다. 동남아에 레즈비언들이 넘쳐 나는 것도 술이
있기 때문…, 아닐까….

이빨 빠진, 늙은 마담의 남편 같기도 한 사십대의 붉은 루즈
새례를 받으며, 기분좋게 강경장은 포차사장 사범이가 쥐어
준 돈을 홀라당~ 던져주고 아무도 없는 썰렁한 집구석으로
들어와 뻗었다.

14. 오십억을 쓰고 죽자…

돈을 쓰는 재미를 부자들은 모른다.

태어나면서부터, 항상, 풍족함 속에서 부족함 없이, 부자들은 돈을 써왔기에, 지금도 그렇고, 앞으로도 그렇고, 돈을 써서, 가지고 싶은 무언가를 얻는 것을 당연히 여기고, 돈을 쓰는 것에선 아무런 흥분의 도파민이 나오질 않기에…, 결국, 돈으로 약물을 구입해 인공 도파민을 만들고 아드레날린을 자극해 흥분시키고, 거기서 카타르시스를 느끼며 천국이 아니면 지옥도 될 수 있는 최고의 극치를 맛보고 있는 건 아닐까…?

하루하루 삶에 쫓겨, 조금만 생각을 게을리하면, 어느새 일상에 노예가 되어 집구석을 돌아다니고 있는 로봇 청소기와 다를 바 없이 쓰레기들을 먹어 치우는 볼품없는 '시간충이'로 독이 올라있는, 빈곤 또는 가난 속에서 평생을 살아온 사람들은 과하지 않은 돈을 쓰는 것에서도 아낌없이 흥분 가득한 만족의 도파민이 솟아져 나올 것이기에 돈 쓰는 재미를 누구보다 잘 알 것이다.
….

….

시간은 내 편인 게, 틀림없어 보였다. 삶은 시간과의 싸움이
아니고 자신과의 싸움이기에 그것을 깨닫는 순간부터
예사로워진다. 그렇게 몇 주가 아무 탈없이 흘러갔다.

　야금야금… 바라던 대로…….
돈을 새벽시간에 농장으로 가서 필요한 만큼 꺼내 왔다.
그것도 일상처럼 몇 일 익숙해지니, 낮에도 돈이 필요하면
자연스럽게 상추밭을 뒤집어 돈을 꺼내 왔다.
아니다…,
파가지고 수확해 왔다. 농장에서 상추와 각종 야채를
바구니에 듬뿍 담아 집으로 가지고 와서, 된장과 고추장을
참기름과 오~유월의 밤 꽃 꿀을 섞어 양념장을 만들고 동네
근처에 유명한, '임금님에게 진상 했다'는 300백년 전통의
'배다리' 막걸리를 몇 병 받아다가, 삼겹살을 구워 싸 먹는
재미와 즐거움 따위는 결코 따라올 수 없는 수확의 기쁨이
돈뭉치를 꺼내 오는 것이었다.

　얼마전 까지도, 헌신짝처럼 돈벌이에 마구 굴리던 몸뚱이는
돈다발을 땅속에 두둑이 묻어 놓고 있는 이상, 특급대우…,
아니, 최고의 귀한 존재로, 나의 '버킷리스트' 최우선순위
꼭대기에 우뚝 선 가치로 바뀌었다. 아내와 피트니스
'헬스장'을 등록하고, 가난에 시달림을 합리화하는
형이상학적 개똥철학으로 혹사당해 생긴 몸의 지방 군살들을

건강장수의 필수인 근육으로 바꾸기 위해, '런닝머신'을 뛰며,
TV 스크린을 보던 아내는 땀을 뻘뻘 흘리면서 손가락질로
TV 스크린을 가리키며 '좀~ 보라!'고 싸~인를 보내왔다.

TV 스크린에서는 해외 동남아 크루즈 여행을 소개하고
있었다. 항공모함 같이 커다란 배에 모든 최고급 시설이 있고
삼시 세끼를 뷔페로 먹으며 저녁에는 매일 바뀌며 쏟아져
나오는 디너쇼를 보며 디스코 파티까지….

그리고 피트니스 기구들도 처음 보는 최신식으로 규모가
어마어마하게 바다 뷰로 배치돼있고……
대충, 크루즈 코스를 보니, 부산항을 출발해서 상하이에서
1 박 하고 홍콩에서 1 박…, 필리핀 마닐라를 찍고 돌아오며
대만의 남쪽 타이중에서 1 박 하고, 일본 후쿠오카로 가서
시내투어를 하고 부산으로 돌아오는 15 박 코스였다….
크루즈 투어를 위해 가장 필요한 건 '현금과 건강'이라고
쇼호스트의 앙칼진 막바지 멘트가 귓가를 맴돌고 있을 때, 난
아내에게 엄지를 들어 오케이~ 싸인을 보내고 런닝머신
속도를 두배로 올려 부족하게 느껴지는 하체에 근육을 키우기
위해 쾌속 질주했다. 아낸, 나의 쏟아지는 땀줄기를 지켜보며
오른손 검지를 펴고 머리위에서 원을 그려, '돌았냐고?' 눈을
흘겼다. 난 돈 것이 틀림없다. 환상적인 크루즈 여행를 갈
거라는 생각에 빠진 순간부터, 돌지 않고는 참지 못 할
흥분의 아드레날린이, 아니…, '도판민' 인가…, 뭔~진

모르겠지만, 환희의 별 풍선이 온몸으로 퍼지는 것 같아 창밖
건너편 6차선 도로를 내달리는 승용차들보다 더 빠르게
런닝머신의 속도를 높여 뛰고 있는 것이, 숨이 양쪽
귓구멍까지 차는 걸로 봐서 틀림없었다.

'피트니스 센타'에서 가장 인기 있는, 젊고 잘생긴 주임
트레이너 '피터장'에게 특별히 웃돈을 주고 '일대일' 레슨을
받는 아내를 요리조리 주무르며 팁을 받아내려는 녀석의 과한
행동에, 예전 같으면, 분노가 일어 달려가 멱살잡이라도
했겠지만 돈을 산더미처럼 묻어놓고 있는 지금은 가진 거
없고 능력 없는 열등감에 불과한 억측의 분노일 뿐이라는
여유의 미소를, 알몸과 다름없는 피트니스 젓은 운동복으로
헬스기구를 옮겨 다니는 사람들과 미소를 주고 받는 여유를
부릴 수 있었다.

아내가 개인 레슨, 1:1 PT가 끝나고 프리 타임에
운동기구를 옮겨 다니면, 오십 대, 육십 대 아저씨들, 네~
다섯 명이 아령과 기구들을 도와준다며 우르르 달려들기 일
수였다. 그걸 즐기기위해 피트니스에 오는 중년 여자들도
많다고 하지만 아낸, 결벽증이 있어서 질색을 떨었다.
그렇다고 파리 떼들이 누군가 싸질러 논 배설물에 '쫓아도..,
쫓아도…' 다시 달려들 듯이, 한평생, 자신의 젊음을,
먹고살기 위한 노동에 던져주고, 입에 풀칠만을 위해 살아온
거칠었던 일상에 질린 아저씨들은 부드러운 것을 빨아볼

욕심으로 파리떼 보다 더 열심히 피트니스 헬스장을
돌아다녔다.

그중에, 동네 조그만 편의점 가게 건물을 가지고 있는 육십
초반의 배불뚝이 대머리는 급기야 여자들만 있는
에어로빅장으로 쫄티를 입고 뛰어들어 사오십 명의 여자들
속에서 뱃살을 아낌없이 흔들었다. 며칠 지나자 에어로빅
여자들의 입에서 돈이 많다는 예기가 돌더니 몇몇, 그나마
나이가 젊은 여자들이 경쟁을 하며 대머리를 차지하기 위해
눈치싸움이 치열해져 갔다.

대머리는 용돈 몇 푼 정도는 인색하지 않게 여자들에게
뿌리며 질릴만하면, 돈의 유혹을 뿌리치지 못한 에어로빅
돌싱녀들을 바꿔가며 데이트를 즐겼다. 헬스장의 파리떼들은
자존심을 내세우며, 차마, 몸매를 드러내는 쫄티를 입고
괴상망측하게 몇 박자 뒤처지며 춤을 추면서까지 부드러운
촉감을 맛보기엔 용기가 없어 엄두를 못 내며 대머리의
추잡함에 입방아질을, 휴게실에서 서로의 커피잔에 침을
튀겨가며 하다가도, 속으론 가득 찬 부러움이 바짓가랑이로
기어 나와, 꼭꼭 숨기기 바빴다.

'나이 먹고, 대머리에, 배불뚝이 남자가 뭐가 좋다고
데이트를 하냐'고, '줌바 덴스' 아줌마들에게, 브레이크
타임에 아내가 물으니,

"돼지 얼굴 보고 잡는 거 봤냐"라고 돼 물으며, 살 만큼
살고 안 먹어 본거 없을 정도로, 먹을 만큼 먹고…, 지구가
돌아가는 이치와 별반 다르지 않는 세상 물정…, 찬물,
더운물, 구정물, 샘물…, 먹을 만큼 먹은 줌바들은, 처음이야
낯설어 볼품없고 서먹하니, 거들떠보지도 않지만 시간이
흐르다 보면, 낯익고 한두 마디 말~섞으며, 몸 개그 춤으로
웃겨주는 남자가 용돈도 쥐여 주면, 아랑곳하지 않고
스스럼없이 즐기는 것이, 결국, 성경과 불경에 열반의 경지와
별반 다르지 않다고 선녀 보살처럼 말하며, '숫자에
불과하다!'고 우기며 나이를 먹은 줌바 여인들은 남자의
외모는 불필요한 껍데기에 불과하다는 걸 살면서 수도 없이
경험했기에 '돼지 얼굴 보고 잡냐? 맛있으면 그만이지~!'를
합창하며 웃어댔다.

15. 컨테이너를 찾아라.

저녁 늦은시간…,
다들 퇴근하고 경찰서 각부서 당직자들이 업무 인수 인계를
서두르며 마무리 할 즘, 강경장은 노크를 하며 조심스럽게
문을 열고 들어가 소파 테이블에 발을 꽈배기 처럼 꼬고
올려, 광나는 구두에 얼굴을 비춰보며 뽀로지를 짜고 있는
조사계장의 표정을 살폈다. 침묵이 잠시 흐르고…, 길어
질수록, 강경장은 초조해졌다.

"너 사표 언제 가져올꺼야?" 갑짝스런 계장의 말에
강경장은 움찔 했다.

"꼭 써야 되나…여~어...?"

"너~어! 상근이 애들한테 상납 받은 거~ 부터~해서…,
모란시장 주변 성인 오락실 다니면서 삥 뜯은 거까지, 한둘이
아닌데, 위로 다~ 보고서 올라 갔어~! 어짜피, 너 여기서
파면되고 쫓겨나면 퇴직금도 없어.., 뭐~먹구 살려? 뺏지라두
있으니까 뜯어 먹고 살았겠지만, 앞으로~!"

"빨리 대답해!…, 뜸~ 드리지 말 고~, 시간 없 써~!"
계장은 애완 금붕어에 먹이를 뿌리며, 강경장을 침묵으로
압박했다.

"휴가 10 일정도 갔다 와서 맘~정리하구, 짐 싸~!"
계장은 일말에 쐐기를 강경장의 흔들리는 마음에 쑤셔 밖아
넣었다.
그리곤, 아무 말없이 서있는 강경장에게 소리를 높였다.
"안 나가고 뭐해~! 우리 금순이하고 금동이 낯선사람~ 낯
가리자나!"

"계장님~! 그동안 제가…"

"아~~~ 됐써~! 됐써…, 나도 더 이상… 덮어 줄 수가
없어~, 너 남한산성 산속에 있는 비닐하우스, 불법
도박장에도 빚이 산더미라며?"

"그건?……"

"너~ 위 감사실에서 뒷조사 다 해서 싸그리, 다 알 구
있다니까!"
….
"아무튼, 휴가 줄 테니까, 정리하고 사표 갖고 와…." 아무
말 못하고 뒤돌아 나가며 강경장은 들릴 랑, 말 랑 하게
'시파~, 시팔…!'을 중얼거렸다.

 강경장은 찹찹한 심경으로 앞으로의 험로가, 홍사장의 숨겨
논 돈을 찾지 않는 한 감당할 수 없는 수렁에 빠져 들것을
애써 지우며 박사범의 포차로 방향을 틀었다. 사범이의
포장마차는 새단장을 마치고 말끔히 LED 간판까지 달고,
주변의 시선을 흡수하고 있었다. 쥐색 징크 판넬로 외부를
치장해 놔, 그럴싸하게 고급스런 연출이 단골들을 끌어
모으기 충분해 보였다. 간판 밑에 걸어 논 현수막엔,
'가격은 옛날 그대로~, 맛은 미쉘랑!' 오우~, 강경장이
보기에도 그러 싸해, 술 먹고 싶은 욕구가 치솟았다. 그런데
"깡통포차~, 가게 이름이 너무 촌스러…!" 간판이름이 너무
촌스럽 단 생각을 하며 포차 안으로 들어갔다.

 "개업식은 했냐~? 말끔 해 졌네…."

 "형님~! 어서 와 요~" 포차영업시간으론 이른 시간인지
빈자리가 제법 있었다.

 "매일 여기 오는 손님들인데, 뭔~개업식이요~! 써비스
안주로 시루떡 한접시씩~ 더~ 올려 주고 있어요~"

 "그래~ 오랜만에 시루떡 맛 좀…, 먹어보자!"

 "잠깐요~, 금방가져…" 포차 사장은 카운터로 가서 떡
한접시를 들고 왔다. 강경장이 손으로 시루떡을 뜯어, 맛을
보고 있는 사이, 포차 박사장은 술과 안주를 강경장 앞으로
한가득 깔았다.

"야~~아~! 남들이 보면 오늘 내~ 생일 인줄 알 것
따~아~"
생굴 껍질에서 굴을 꺼내, 와사비 초장에 찍어 입에 처넣으며
과하게 넣은 '와사비'에 코구멍을 문지르며 소주잔을 입에
부었다.

"아이고~형님~! 형님이 우리집 오면 항상 생일이어여~"

그때 주방에서 설거지를 마치고 나오는 사범이 동거녀가
합석하며, "오빠… 이거 병어회 먹어봐여~ 물이 좋아서
깻잎에 싸면 죽여 줄거여~" 사범이 동거녀는 사범이 잔의
소주를 원~샷하고 오징어 대친 것을 손구락으로 집어 입에
처넣곤,
"간판어때요~! LED 루 하니까 쌈 빡~하게~, 까페 분위기
나죠~! 즉이죠~?"

"그런데, 까페 분위기에…, 간판이름이 깡통~ 이 뭐냐?
'깡토~옹~ 포장마차'?"

"포장마차가 뭐~예여! '깡통포차' 라니까~"

"그러니까, 가게이름이 깡통이 뭐~냐고~, 촌티나게…"

"이~건물이 컨테이너, 그러니까~ '깡통을 결합해서
만들었다'고 몇 번을 예기해여~~~!"

　어둠이 무르익어가자, 2차손님들이 포차로 밀려 들었다.
둘은 발빠르게 손님 테이블과 주방으로 달려들었다. 연거푸
처넣은 소주에 강경장은 취기가 돌며 기분이 살아났다.
기분이 좋아지자 식욕이 솟구쳤다. 바로 막 구워 온, 숯불
닭갈비를 먹으며 닭에는 소맥이 어울릴 것 같아 맥주를 주류
쇼케이스에서 꺼내 와, 소주와 말아, 원~샷으로 맥주컵을
비울 즘, 　입구 쪽 테이블에서 싸우는듯, 고성이 오고 가며
출입구문 강하유리가 박살났다. 강경장도 놀라 순간적으로
테이블 밑으로 고개를 숙였다. 포차사장 사범이는 젊은
여자애 2명과 남자애들, 4명의 일행 중 칼을 뽑아 들고
여자애 한명의 목을 찌르려는 금 모거리로 치장한 투 블럭
머리의 모가지를 휘감으며 몸을 날려 막았다. 넘어진 투
블럭은 칼을 고쳐 들고 포차사장 옆구리에 서너번 칼빵을
놓고 풀려나 다시 여자의 복부를 향해 칼질을 하려고 달려들
때, 강경장은 주머니에서 권총을 꺼내 본능적으로 녀석의
허벅지를 향해 서너 발을 쏘았다. 첫발은 공포탄이라 소리만
요란했고, 이어서 실탄들이 녀석의 복부와 허벅지에 박히며
고꾸라졌다.

　금 새 가게바닥은 포차사장과 투블럭의 피가 솟구쳐 섞이며
사방으로 튀었다. 손님들은 난리통을 틈타 사방으로 도망쳐
나갔다. 다시 일행 한 놈 중, 키가 크고 마른 문신놈이 자신의
종아리 근처에서 칼을 빼 들더니 강경장을 향해 뛰어들었다.

백전노장 강경장은 녀석의 움직임을 슬로우 비디오 보듯이
읽으며 권총을 총지갑에 수셔넣고 옆으로 피하며 녀석의 발을
걸어 넘어뜨리고, 면상에 발길질을 날렸다. 녀석은 킥 한방에
기절을 하고 말았다. 가게밖으로 도망 나갔던 손님들은 앞
다퉈 경찰서와 119로 전화질을 하며 핸드폰으로 끔찍한
현장을 촬영하기 바빴다. 강경장은 카운터에 쌓아놓은
물수건을 여러 장 가지고 와 사범이의 칼빵자릴 쓔서 넣어
지혈했다. 사범이의 동거녀는 하얀 슬립백바지가 붉게 변한건
아랑곳 않고 주저앉아 울고불고 난리를 치며 119를 불러
달라고 소리를 쳤다.

　"조~옷 됐다~!"를 중얼거리며 강경장은 자기 테이블로
돌아와 소주병을 맥주 그라스에 따라, 연거푸 드리켰다. 그 쓴
소주가 목구멍으로 단맛을 내며 넘어갔다.　잠시 상황을
머리속으로 정리했다. '어짜피~ 사표 쓸 거, 확실하게…
미련없이 새 출발하자… 그나저나, 앞으로 뭘 먹고 사나?
비닐하우스 도박장에 빚도 억대가 넘어가는데, 퇴직금으론
어림도 없고….' 그때 관할 경찰들과 119구급대원 여러 명이
밀려 들어왔다. 강경장보다 한참 후배면서도 진급이 빠른
이경사가 술을 드리키고 있는 강경장을 알아보곤 달려왔다.

　"선배님~!　어떻게 된 거 에여?"

"야~! 시블~, 말도마라~! 오늘 재수 존나 없게… 술 한 잔도 지대로 마시기 힘드네~ 아~~" 강경장은 맥주를 한잔 따라 원 샷을 때리곤 말을 이었다. "완구야, 이거 '정당방위'다~! 저~세끼가 칼~빵 놓고 나 한테 달려들어서 정당바위 한거니까, 수사보고서 있는 그래로 써~! 알았지~!" 그때, 같이 출동한 젊은 경찰이 이경사에게 달려와, 강경장에게 경례를 하곤, "팀장님 이세끼들 광주 구렁이파 애들인데요, 여~어기 까지 와서 사고를 쳤네요"

"너~ 얘들 알어?" 강경장이 물었다.

"예~! 제가 처음 경찰시작한 곳이 옆에 광주 상대원동 이거든요, 그때, 애네들 아지트가 우리 관할이었거든요, 저어~세끼, 키~큰 놈은 몇~ 번인가… 처 넣었었기 때문에 단번에 알겠는데요..뭐…" 강경장은 소주잔에 소주를 한잔 따라 젊은 경찰애에게 마시라며 주었다. 그러자 이경사가 말리며, "근무중에 뭔~술이냐!"고 젊은 경찰애의 팔짱을 끌며 피투성이가 난리인 현장으로 도망갔다.

"아이~시발~~ 계장놈이 총 반납하지 않고, 가지고 나간 거 알면 또 쌩~난리 칠 텐데~,
…
…
어짜피, 때려칠거… 잘됐다…, 미련없이 마침표를 확실하게

98

찍게 해줘서…" 강경장은 술김에 '남한산성' 근처에 있는
산속 외진 비닐하우스 도박장으로 가기 위해 취한체로
운전대를 잡았다. 도박장으로 가는 산길을 중턱정도 달릴 즘,
이경사한테서 전화가 왔다.

"선배님! 어디예요~? 조서 꾸며야 하는데… 안~오고~"

"내일 출근해서 반장님한테 얘기하고 넘어갈께…"

"그럼, 제가 내일은 교대니까~, 모~레 들렸다 가세요.."

"오케이~!"

산길 작은 비포장 고개를 넘어 돌아, 바리게이트 앞에 차를
새우니 어디선가 숨어있던 젊은 애들 두 명이 다가왔다.
강경장이 창문을 내리고 얼굴을 보여주니 녀석들은 바로
고개를 숙이며 "형님~ 어서 오십쑈오~!"를 외치며
바리게이트를 올려주었다. 열린 창문으로 밀려들어오는
소나무 송진의 진한 냄새와 섞인 산속에 찬공기는 강경장의
몽롱한 정신을 버쩍들게 했다. 소나무 틈새 사이에 대충
주차하고, 비닐하우스 도박장 비닐문을 열고 들어가니,
안에는 '난리법석' 이었다. 강경장은 하우스 안쪽 구석에
판넬로 지어 놓은 사무실로 들어갔다. 하우스도박장의 대장인
'갈치'하고 갈치 여자친구가 꽁지 돈들을 정리하며 반갑게
인사를 했다.

"형님~! 빚 갚으러 왔~쑈 ㅎㅎㅎ?" 능글맞게 웃으며
소파로 와서 앉았다. 강경장도 취기에 웃어주며,

"야~아, 갈치야~ 돈을 좀 따게 해줘야 빚도 갚고
집도사고 옷도 사 입고 할 꺼이~ 아니냐?"

"ㅎㅎㅎ~, 그게~ 다~아, 실력이지 나한테 탓해
뭐~혀요?" 갈치는 장부를 뒤지며 강경장의 꽁지 빚을
뒤적였다.

"아~ 씨발~! 알았어~ 알았어~~, 됐~고, 됐~고! 오늘
뭔가 대박 일 꺼 같거든… 한 장만 달아 놔라!"

"까~앙~행님~! 한 장 추가여~잉!" 갈치는 큰소리로
웃으며 장부에다가 볼펜질을 했다. 그 틈에 갈치의 애인은
천만 원어치 코인을 바구니에 담아 강경장 앞에 놓았다.

"형님~! 오늘은 좋은 꿈 꿨다고 항께~~ 꼭 따서 반에
반이라도 갚으요~이잉~~"

"갈치야~! 오늘은 뭔가~ 될 꺼 같다~~" 강경장은
돌아서 얼굴도 안 보고 지껄이며 비닐하우스 객장으로 튀어
나갔다.

"오빠~ 저~어~ 빙~신! 세끼~~ 짬새밥을 그렇게
처묵고도 우리가 짜고치는 '고스톱' 인거~ 모르는 거야?"

"그러게~~, 저어~ 빙신은 '고스톱'만 짜~고 치는 줄
알고 '룰렛'이나 '바카라' 같은건, 크~린, 한 줄 알고 미쳐
있는데…, 우끼고~ 환장하지…, ㅎㅎㅎ!"

"가끔… 요즘은 슬롯머신도 하던데~ 오빠~?"

"돈 다~ 날리고 뽀~찌 받아서 푼돈 돌리는 거지~뭐…"

"근~데, 오빠! 저 세끼한테 나중에 돈~받아낼 수
있는거야?"

"어짜피~, 우리 돈 될~ 꺼이니까~~, ㅎㅎㅎ~ 경찰서에
호구하나~ 밖아놓고~ 나중에 필요할 때 써먹으면 몇배는
뽑는 거니까…."

16. 호화유람선 '크루즈'탑승

　　농장으로 가서 조심스럽게 상추를 새로 심고, 수확하면서
소쿠리바닥에 돈 뭉칠 깔고, 그 위로 상추와 얼갈이를 쌓아
평소와 다름없이 사천만원을 꺼내, 집으로 와서 이천만원을
롯데 홈쇼핑에 크루즈 비용으로 입금하려고 번호를 누르려
는데, 옆에서 지켜보던 아내가 커피를 건네 주며 말을 걸었다.

　　"여보~ 그럼, 우리 부산에서 크루즈~ 출발하는 거야?"

　　"그럼~, 아니, 잠깐!…, 일정표 확인해보고~" 일정표를
'핸드폰'으로 검색해보니, '부산항 1번게이트 탑승'이라고
나와있었다.

　　"응~! 부산항~ 일번게이트~!" 핸드폰으로 검색한 일정표
아내에게 보여주었다. 아내가 '부산까지 가는게 번거롭고
귀찮으니, 가까운 인천항에서 출발하는 크루즈는 없겠냐?'고,
'한번 찾아 보자며~!', "민석이 아부지~, 돈이 없지, 배가
없겠어~여~?" 속삭이듯 중얼거리며, '인천항 크루즈'를,
며칠 전 이백만원 현찰 주고 새로 구입한 '폴드 4'폰을 펼쳐서
검색했다. 옆에서 지켜보던 난, '커다란 넷북~, 아니…,

'아이패드'도, 이젠, 필요 없을 거 같다'는 감탄을 하며
검색을 거들었다.

부산과 속초에서 출발과 도착을 하는 전세선 크루즈가
아닌, 해외에서 들어와 기항지로 입항하는 상하이발
'스펙트럼 오브더 씨즈호' 초호화 유람선이 마침 들어올
예정이고, 100 객실정도가 여유 있는데, 우리가 봤던
홈쇼핑에서 광고한 운항코스와 같을 뿐더러, 부산을 들려서
홈쇼핑 모객, 여행자들을 승선시키고 다음 기착지인
'후쿠오카'로 출항하는, 오천 명이나 탑승할 수 있는
15 층높이의 초호화 유람선이 있다며 나에게 보여주었다.
아내와 함께 추가로 검색을 해보니, 올해, 특별히 영종도에
동북아 최대 '카지노 복합 리조트' '인스파이어'가 새로
개장한 기념으로 특별 운항을 하게 돼서, 때 마침, 입항
예정이었다.

한사람 당, 천만 원씩, 두 명, 이천만원을 입금하고 이틀
후, 새로 뽑은 간지나는 '펄~백색 G90'을 타고 인천항
연안부두로 달려 갔다. 가끔 짜장면이 생각날 때
'차이나타운'이나 찾고, '신포시장'에 가서 '닭강정'이나 사
먹으러 가기 위해 달렸던 경인고속도로를 크루즈 호화
유람선을 타기위해 달릴 거라고는 상상도 못했었다.

　세상살이…, '한치 앞을 모르는 게 인생~!' 이라고 술주정
으로 유명했던 철학자의 말이 떠올랐다. 고속도로 방음벽
너머로 학교건물 지붕만 조금 보이는 인하대를 지나, 도로
막바지 종점 4거리를 지날 즘, 건너편에 '인하대병원'이
보였다. 문득, 오래전 교통사고로 이 병원에 입원해 있던
처남의 문병을 갔다가, 다 죽어가는 거지 몰골로 수액을 꽂은
휠체어를 타고 옆방 6인실 여자병실로 들어가는 초등학교때
담임선생을 보곤, '긴가민가'…, 설마~, 하며 닫힌 문 앞까지
다가가, 병실 네임표에 환자 '박경주'을 확인하곤,
'나쁜사람~ 아이들 가슴에 그렇게 못 질을 하며 돈만
밝히더니…' 측은한 생각이 들었던 기억이 떠올랐다. '아마도
지금쯤은, 돈이 필요 없는 저 세상에서도, 돈이 덕지덕지
붙어있는 돈갈비를 뜯고 있을런지….'

　그때가…, 그러니까, 내가 초등학교 3학년때 였던가,
3학년때, 담임이었으니까….
벌써 40여년전의 일이다. 난, 그날따라 도시락을 안 가지고
학교에 등교를 했다. 장사를 하시던 엄마는 초등학교 입학 후
한번도 학교에 오시 질 안더니, 그날따라 큰아들의 열심히
공부하는 모습이 보고 싶으셨는지, 도시락도 갔다 줄 겸 해서
학교로 오셨다.

　교실입구 앞문에 뚫려 있는 유리창으로 내가 어디 있나를
조심스레 확인하려던 찰나에, 담임선생은 나의 왼쪽 귀를

비틀어 쥐고는, 나를 복도로 내쫓을 요량으로 미닫이문을 확
열다, 동시에 엄마의 눈과 선생님에 눈이 마주쳤으며, 나
또한 뒤틀린 왼쪽 귀의 고통을 아스라이 잊은 체, 엄마의
얼굴을 올려다보았다. 세상이 멈춘 것 같은 침묵에 모두가
어색해 할 즈음..., 선생님은 엄마에게 물었다.

"어떻게 오셨어요?"

"아~, 예~, 야~아~, 엄만데요~" 힘없이 기어들어 가는
목소리로 엄마가 대답을 했다. 그 대답을 듣는 순간, 선생님은
엄마에게 갖은 면박을 쏘아 붙기 시작했다.

"무슨놈의 자식을 이따위로 낳아서 미역국 먹고 백일 돌 상
차려서 잔치하고 난리였을 꺼 아니냐?" 이어서,
"난 담임으로써 도저히 이런 놈, 세엑낄 가리킬 수
없으니까~ 당장 데려가세요~!"하며, 그 자리에 얼어 있는
엄마에게 모욕을 쏟아부었다.

한 학년이 20반씩되어 격주로 오전, 오후반편성이 되던 그
시절에 선생의 파워는 막강했다, '선생님~, 그림자도 못
밟게하던 권위가 최고였던 그런 시대 였으니까....' 가능
했었다.

순간, 난 시간이 멈춰져 있는 것처럼 말로 표현할 수 없는
한 치 앞 안개속에 내 벼려진 한 마리 어린 물때새처럼
너무도 막연히 내 정신을 어딘가에 놓쳐버리고 온통

번쩍거리는 별들만 꽉 찬 머릿속을 넋 없이 바라보다, 너무도 부끄럽고 창피해서 쏟아지려는 눈물을 차마 엄마에게 보이지 못하고 그냥 쓴웃음을 지으며..., 그나마…, 웃음으로 나마, 엄마의 맘을 위로하고 싶었다.

이어지는 담임선생님에 "당장 얘~ 데리고 집으로 가세요!" 하는 말과 동시에 귀를 잡고 있던 손을 복도 벽으로 내팽겨 쳐진 난 벌떡 일어나 선생님에게 꾸뻑 인사를 하곤 내 책상에 있는 책가방을 들고 냅다 교문 밖을 뛰쳐나갔다, 엄마는 연신 허리를 굽히고 '한 번만 용서를 해달라~'고…, 또 빌면서, 복도 끝으로 내달리는 나의 뒷모습과 선생님의 얼굴을 번갈아 보며, 용서와 복수의 표정을 번갈아 표정 지으기엔, 힘드셨는지 눈물로 모두를 답하고 서 계셨다. 난 숨이 혓바닥까지 올라와 지칠 즈음, 동네 골목 어귀에 멈춰 섰다.

'이젠 어디로 가야 하나?'

갑자기 어디로 가야 할지를 생각하니 막막하기 그지없었다. 집으로 가자니, 엄마의 역정과 몽둥이찜질이 날 기다릴 것이고, 학교로 다시 가 자니, 반 아이들의 놀림 가득한 시선이 너무 창피했고..., 여기 이러고 서 있자니, 오월에 달아오른 따가운 햇볕은 나를 가만 놔두지 않았다. 난 동네 경계에 있는 개천으로 달려갔다, 그리곤 바지를 무릎까지 걷어 올리고 물속에 송사리라도 있는지 허리를 숙여 얼굴을

묻곤, 창피함과 부끄러움과 엄마에 대한 미안함으로 범벅이
된 상처 난 가슴을 감출 길이 없어, 흐르는 냇물을 바라보며
하염없이 눈물을 흘렸다.

'남자 녀석이 개울 복판에 앉아 우는것도 얼마나 창피한
노릇이냐…' 이렇게 물고기 잡는 것처럼 개울물에 돌을
주물럭 거리며 울면, 남들이 멀리서 봐도 고기 잡는 것처럼
자연스런 연출을 하며, 그렇게, 하염없이 냇물에 서러운
불효자식의 피눈물을… 흘려 보냈다.

자랑스런 대한에 아들의 모습을 보여주고 싶었던 나의 어린
희망이 무너지는 아픔을 흐느끼며, 한 번도 선생님들에게서
머리 쓰다듬 받는 칭찬 한번 받아보지 못한 서러움을 그렇게
혼자 삭이며 못난 자신을 자책하고 있었다.

다리 저편으로 붉게 물든 하늘을 멀리하곤, 기우는 태양의
야속함을 못내 아쉬워하며 하염없이…, 이 흐르는 물에 함께
섞여 흘러가고 싶은 간절함을 어쩔 수 없이 접고, 무거운
걸음을 집으로 향했다. '이젠 죽을 때 죽더라도 집으로 가서
죽어야지...' 별다른 도리가 없었다.

5분이면 다 을 거리를, 돌고 돌고.. 지나온 길을 다시
되돌아가길…, 수~어 차례... 배고픔에 어쩔 수 없이 방문을
빼 꼼 열고 얼굴을 내밀어 방안 분위기를 살폈다, 엄마는
아랫목에서 수건으로 머 릴 동여매고 이불을 뒤집어쓰곤,

분을 삭이지 못하곤 울다 잠드신 듯했다. 난 부엌으로
살곰살곰 기어가서 동치미 국물에다가 밥 한 대접을 말아서
숨죽이며 엄마가 깰 새라 숨소리조차 참으며 착착 달라붙는
밥알들을 꼭꼭 씹으며 두어 숟가락 입에 처넣을 즘..., 언제
일어나셨는지, 엄마는 내 목덜미를 움켜쥐곤 방으로 끌고
들어갔다.

내 허벅지에서 업어진 밥그릇을 부엌 바닥으로 흘리곤
바지에 붙어있는 밥풀들을 몇개 주어 먹을 쓰~음, 엄마의
완~ 투~ 쓰리가 나의 면상에 적중했다, 동시에 아까 냇물로
그렇게 많은 눈물을 쏟아 보냈는데도…, 또다시 하염없는
눈물이 나의 바지 허벅지에 붙어있는 밥알들과 섞이고
코물까지 줄줄 흘러 섞이며, 언젠가 사거리 번화가에서
개업식을 요란하게 했던 중국집 '희선관' 특별 메뉴라
자랑하던 울면을 반쯤 먹고 공기밥을 시켜 말아 놓은 잡탕밥
같은 모양이 배고픔을 더욱 자극했었다.

나중에 나이를 먹고 들은 예기로는, 다른 아이들은 크고
작게 촌지를 빠짐없이 가져오는데 유독 공부도 못하고 생긴
것도 별반 시원찮은 내가 촌지도 가져오질 않으니, 보는
것만으로 도 미웠기에 티끌 같은 말도 안 되는 억지를
트집잡아 화풀이를 했다는….

그 당시 높은 교육열과 집집마다 아이들이 여섯 일곱 명씩

되던 다산으로 직업 순위 서열의 정점에 있던 교권을
아낌없이 휘두르던 시기에 부작용의 폐해로 여기며 나 자신을
위안하며 쓴웃음을 지었었다.

　오래 함께 산 부부들의 레퍼토리는 비슷한 상황이 오거나,
반복된 장소를 지날 때면, 매번 앵무새처럼 자동 반복이다.
습관적으로 내가 먼저 운을 떼며,

　"저 건너편에 '인하대병원' 기억나지?"

　"그럼~, 옛날에 상택이가 교통사고로 입원해 있던 병원
아냐?"

　"그때, 처남 면회 왔다가 옆 병실에 입원해 있던…" 내
말을 먼저 끊으며, 아낸, "그 초등학교 때 여자 담임의 흑역사
얘기할려고 그러는 거 쥬~" 하며, 인하대병원 앞을 지날
때마다, 지겹게 들었다며 더 이상 얘기하지 말라고 말렸다.
오래 함께 살아온 부부는 각자 살았던 어린 시절까지도
뒤섞여서 공유되어 추억으로 함께 아파하고 기뻐하는 일상을
새삼 아이러니하게 느꼈다.

　연안부두에 도착해 출국수속을 밟고 크루즈에 탑승했다.
우리가 예약한 크루즈 라인등급은 프리미엄 급인데, 운 좋게
추가비용 없이 업그레이드 받아서 흔들림이 적어 뱃멀미가 덜
한 오션~뷰에 발코니가 딸린 럭셔리 라인에 세련되고
클래식한 디자인의 객실을 제공받았다.　레스토랑에서의

식사와 주류는 물론 아침 조식, 객실 서비스까지 무료이며
'올인크루시브' 상품이었다. 12층 바다 뷰가 탁 트인
발코니가 매력적인 '뷰티크룸'을 들어서던 아내는 너무
멋지다고 놀라며 침대에 '대'자로 몸을 던져 푹신하고
부드러운 쿠션을 확인하곤 발코니테이블로 달려나갔다.
아내의 감탄사에 나도 따라 나가니, 인천대교의 웅장한
몸통에 붙어있는 화려한 조명들이 불을 밝히기 시작했다.
캐리어 짐을 풀고 15층 라운지 레스토랑 뷔페를 올라가니
수백 가지의 요란한 최고급 요리들이 모락모락 김을 내고
있었다. 그런데 이상한 건 사람들이 별로 없었다. 나이 드신
분들의 여유로운 잡담과 다 과속에 어린아이들만 요란을 떨며
뛰어다니고 크루들만 음식 준비로 분주했다.

　아내가 고개를 갸우뚱거리며 물었다.
"여보~ 그런데 우리 배 잘못 탄 거 아냐?"

　"왜~에?"
아직도 '가난중독'에서 벗어나질 못해, 무의식적으로 김밥만
한 접시 쌓아 놓고, 먹고 있는 나에게 아내가 다시 물었다.

　"그런데 이렇게 초대형 크루즈에 사람들이 왜 이렇게
없어?"

　그러게, 나도 아내에게 물으려던 참이었다.
"그러게…왜 이렇게 사람들이 없지???"

아낸 내표정을 보다, 시선을 아래로 깔아 바로 내 접시를 보더니, 소리를 질렀다.

"아이구~ 여보세~용~ 청승…! 당장 김밥 버리고~" 내 팔을 끌고 음식 갤러리로 다니며 새 접시에 최고급, 아니, 처음 보는 럭셔리 요리 위주로 담아주고, '안주가 이렇게 화려한데 술이 빠질 순 없다'며 주류 코너로 달려가 요즘 뜨고 있는 줌마들이 즐겨먹는 쓰리쿠션 '하이볼'을 만들어준다고 아내가 시바스리갈 21년산과 함께 섞을, 칵테일 음료 패키지도 한가득 들고 왔다.

"여보~ 오늘부터 멋지게, 그동안 쌓인 '스트레스'를 완벽하게 풀고, 멋진 인생을 차곡차곡 설계해 봅시다, 파이팅~!"을 외치며 원~샷으로 첫 잔을 기분 좋게 비웠다. 하늘이 검 붉은색 노을로 변해가는 틈으로 분주히 지나가는 크루를 불러 세워 '사람들이 와~이리도 없냐?'고 아내가 물어보니, 대부분 여행객들이 기항지 관광 일정으로 영종도 '인스파이어'에 관광 갔다가, 지금쯤은 탑승 중 일 거라고 했다. 잠시 후 어디선가, 아래층부터 '웅성웅성' 사람들 소리가 들리며 하나 둘, 레스토랑 리셉션장으로 몰려들기 시작했다. 점점 자리가 꽉 차며, 발 디딜 틈 없이 복잡하게 사람들이 몰려들었다. 40도짜리 양주 세 네 잔을 비웠을까, 기분이 점점 업되어, 18번노래를 흥얼거리는데, 이쁘장하게 생긴 젊은 승무원이 다가와 인사를 하며, 우리 객실 룸

번호를 확인보곤 '스위룸은 스페셜 디너가 특별 지정석으로
마련돼 있다!'며 전망 좋은 창가에 별도로 셋팅된, 사방이
투명 유리로 야외수영장이 내려다보이는 크리스털 룸을
안내해 주고, 풀코스 요리를 순서에 맞춰 테이블에 깔았다.
'이래서 사람들이 돈 벌면 특권의식에 빠지는구나!'하며
아내의 하트 빵빵으로 변한 눈을 확인하곤, 나도 기분이
'하이킥' 되어 오만 원권 두 장을 안내한 젊은 승무원에게
쥐여주니, 한사코 '승무원 규정상 안된다'면서 손을 저었다.
아내도 학교 기숙사에 있는 또래의 딸아이가 생각났는지,
'어른이 주는 거 사양 말라~'며 나를 거들었으나 소용없이
여자아이는 줄행랑치고 말았다.

　유람선 안엔, 서양인 반, 동양인 반 정도의 비율로
대한민국 탑승객은 거의 없었다. 다음날 부산항에서 이백여
명 탑승할 예정이기에 없는 것이 당연했다. 수십 개국 다양한
사람들이 우리 부부에게 말을 걸어왔다. 하지만 평생 국어만
쓰고 살아온 우리 부부는 걱정이 없었다. 최신폰으로 구글
통역과 파파고를 돌려 별 어려움 없이 의사소통을
주고받았다. 파파고로 대화를 주고받다 보면 대부분의
외국인들은 신기하다면서 우리 폰을 빼앗아, 자기들도
해본다며 시간 가는 줄 모르고 파파고를 누르고 대화를
주고받으며 소리 소리 질러 댔다. 나도 술김에 '원더플~'을
외치며 춤판이 벌어진 디스코 광장으로 달려 나갔다.

멍키같이 생긴 광대남이 열 명의 비키니 여자들을 배경 삼아 춤추기 쉬운 스텝을 앞서서 하면, 관광객들이 쫓아 하는 군무를 20분정도 하고 프리 댄스 타임이 되어 세계 각국의 막 춤들이 불을 뿜기 시작했다. 춤의 기본 이치와 알고리즘은 머리, 팔다리, 사지와 온몸을 최대한 큰 동작으로 빠르게 움직이던 것이라는 원리를 진작부터 알고 있던 아내는 스테이지 복판을 점령하고 대한민국 '붉은 악마'의 열정을 넘어서는 광기를 토해냈다. 놀라고 신기해서 몰려든 오대양 육대주 사람들의 군무 박수를 받으며 열정이 극에 달할 쯤, 브루스 음악으로 바뀌며 파트너를 잡으려는 사람들의 법석으로 소란스런 틈을 타, 땀 범벅이로 쓰러지기 일보 직전인 아내를 10여 명의 남자들 틈에서 구해와 '원더플 투나잇~' 스텝에 맞춰 오랜만에 브루스춤을 추었다. 천국으로 향하는 발걸음이 지금 이 순간처럼 종아리에 날개가 달려 가볍게 날것 같은 스텝 일 거라는 상상을 하며 크루즈 경험 부족으로 멋진 무대의상 한 벌 준비 없이 탑승한 것이 후회스러웠다. 아낸, '그런 걱정일랑은 하지 말라~'며 "3층 스트립 쇼핑센터에 멋진 의상들이 넘쳐 난다!"라고 귀띔하며 멋진 럭셔리 조명에 감탄하며 '밤새도록 달려 보자!'고 조르기에 나도 술김에 '갈 때까지 가보자!'고 눈꼬리에 힘을 주며 스텝에 스피드를 올렸다. 그렇게 인생의 후반전을 검은 바다 위, 별들만 총총한 망망대해에서 멋지고 럭셔리하게

달리고 달리다 필름이 끈겨 점심때가 되어 겨우 눈을 뜨는
판타지가 이어졌다..

전날 밤 잠들기 전 '내일부터 더 이상 폭식하지 말자'고
아내와 다짐을 하고 점심때가 되어 씨푸드 레스토랑에 와서
랍스터와 해물요리로 배 터지게 먹지 말자고 아내와 실랑이를
벌이고 있는데, 몇일 전 17 층 라운지 야외수영장 썬
베드에서 자연스럽게 말을 섞으며 안면을 튼, 미국
시민권자로 작년에 은퇴하고 트럭커로 아내와 세계여행을
한다는 우리 또래의 오십 대…, 육십 댄가…, 원앙새처럼
화려한 총천연색 의상을 입고 갈색 비취 중절모를 재껴 쓴
콘셉트으로 종횡무진하는 백발의 원앙새 부부가 우리를 보곤
'카지노'로 게임하러 가는데, 함께 가자고 다가와 앉았다.

"우린 게임할 줄 몰라서여~?" 아내가 정중히 사양하며
말하니,

"그냥 돈 넣고 손잡이만 당기면 되는데요…뭐~
운~좋으면, 대박이도 나오고요~ 함께 렛츠~고! 하시죠~"
원앙부인도 원앙 남편를 거들었다.

"그래여~? 그럼… 잘~됐으여… 살~찔까 봐, 걱정
난리였는데… 팔운동도 되겠지여?" 아내가 물어보고
일어서며 내 팔을 끌고 5 층 카지노로 향했다

"방에 가서 돈 좀 가지고 올 께" 하며 내가 돌아서려는데,
중절모가 내 팔짱을 끼며 말렸다. "카지노 가서 객실 번호
보여주면 달라는 데로 코인을 주니까, 그냥 가시면 되~요!"

아내와 난 삼십만 원씩 칩을 받아와서 원앙새부부와 나란히
앉아서 슬롯머신을 당겼다. 화려한 그림들이 '나~잡아
봐라!'를 외치고 놀리며 돌 때, 같은 그림을 잡아내는 단순한
게임이니까, 부담 없이 놀고 나니, 금세 칩이 바닥났다.
아내가 오십만 원만 더 받아온다고 일어서니 원앙부인이
아내를 말리며 말했다.

"카지노는 승부가 아니고 오락인 거예요!, 악착같이 이겨서
따려고 맘먹는순간, 승부욕이 발동되고 도박의 수렁으로 다가
가지만, '액수를 정해 놓고 액수만큼만 즐긴다~'고 맘먹으면
카지노 만큼 집중력 있고 신나는 오락도 드물어요~, ㅎㅎㅎ"
맞는 말이었다. 난 아내와 자리에서 일어서 시원한
바닷바람이 일품인 옥상 야외 정원 데크로 올라왔다. 난
지금까지 살아오며 오락성이든 게임이든 내기에서 한번도 따
본적이 없다. 사람들에게 다가온 갈매기들의 군무를 보며,

"난 지금까지 게임을 하면, 한 번도 따 본 적이 없어…"
하고 아내에게 말하며.

"당신 내 고등학교 친구 성훈이 알지?"

"오산에 살던 김성훈 씨?"

115

"응~!, 걔는 젊었을 때…, 대학 다닐 땐 가… 우연히
경마장에 가서 만원 걸고 이백만 원인가를 배당받은 거야…
그때부터 틈만 나면 경마장으로 달려가더니, 지금까지 수억은
잃었다고 하소연하더라구~, 그런 거 보면, 지금 꺼 정 한
번도 따보지 못한 게~ 운 좋았던 건지도 모르겠엉…"

"그러게…여~"

이곳 크루즈에 수많은 다양한 사람들을 며칠 동안 지켜보고
있으면 다들 웃고 있다. 수영하면서도 머리가 부딪치면 웃고
춤을 추면서 파트너가 바뀌어도 웃으며 인사하고, 식사하다가
디저트로 아이스크림을 퍼먹을 때도 테이블 건너 멀리서도
눈이 마주치면 웃어주고, 수영장 썬~배드에서 졸면서도 웃고
있었다. 가끔은 웃지 않고 있는 사람들도 앞니의 반쯤은
허옇게 까놓고 "나는 행복합니다~!"를 다가와서 말하려는 것
같은 미소로 손을 들어 인사를 했다. 그전까지 내가 살아온
세상엔 다~들 무표정에 화가 난듯한 차거운 얼굴로,
뺏으려는 자와 뺏기지 않으려는 자들의 생존 경쟁에 치열함이
웃음을 허용하지 않는 룰이라도 있는 것처럼 투명하지 못한
모습들뿐이었다. 하늘을 날아다니는 새들은 돈이 필요 없다.
강아지나 고양이 염소나 양들도, 물고기도, 돈이 필요 없다.
잘 날고, 잘 뛰고, 헤엄 잘 치면 우두머리가 될 수 있고 많은

암컷들을 거느리고, 넓은 초원을 차지할 수 있다. 하지만 사람은 날고, 기고, 달리고, 잠수하고… 이런 거 다~ 필요 없다. 그냥 돈만 잘 벌 수 있으면 그만인 거다.

유치원에서부터, 대학교까지 생의 3분의 1을 돈 버는 기술 습득의 상대 평가를 통해 배우고 세상으로 나가 돈 벌기 위해 죽어라 경쟁하는 실전을, 경쟁으로 피말리는…, 그런 아닌가! 이 크루즈에 탑승한 여행객들은 대부분, 그 치열한 경쟁을 뚫고 수많은 돈을 손에 쥐었기에 웃지 않을 수가 없을 것이다.

"돈은 돌라고 있는 것"이라고…, 돈이 돌지를 못하고 은행금고에서 아니, 상추밭에 묻혀 있는 한, 그 돈은 내 돈이 아니라고…."

돈이라는 철학의 근본은 '돈~다'이다. 돌고, 돌아다녀야 할 돈이 땅속에 묻혀서 썩고 있는 순간 그건 돈이 아니라, 돈에 돈놈들의 손에 쥐어진 비수로 변해 나의 심장을 겨룰 것이다.

17. 코인 전문가

몸뚱이는 기름진 고급음식과 열대성 따뜻한 기후의 환경
변화에 쉽게도 적응을 했다. 보름정도 선상에서 펼쳐지는
최고급 미식의 향연 속, 끈임없이 제공되는 국가별 정통코스
요리와 밤마다 3 층 스페셜 광장에서 화려한 led 조명과
범벅이된 '인산인해'의 하얗고 검고 누런, 다양한 사람들과
헤아릴 수 없는 최고급 술과 안주로 끝없이 바뀌며 진열되는
요리들과 함께 섞여서, 서로서로 부둥켜 잡고 돌고 포옹과
볼~인사를 주고받곤, 파트너를 바꾸며 환장하는 환상속의
열정을 피트니스로 대신하며, 생전 처음 맛보는 쾌락들로
살을 찌우다 보니 체중도 겁부터 나, 체중계 근처를 얼씬도
안 했지만 엄청 늘어났을 것이 틀림없었다.

몸이 무거워지고 지방이 쌓이고 긴장이 풀리니 행복
호르몬이 솟아져 나오며 사는 맛을 봤다. 아니다, 살아갈
방향을 잡았다. 머리 쓰고, 몸~움직이는게 재일로 귀찮아지며
푹신한 앉을 자리들만 눈에 들어왔다. 부산에서 내려 KTX 를
타자마자 아내와 머리를 맞대고 잠이 들었다. 앉으면 졸리는
부자들만 걸리는 고급병이 드디어 나도 걸렸다. 몸은
손살같이 서울을 향해 달리는 KTX 에 있지만 아쉬움 가득한

미련 가득한 마음은 아직도 크루즈 옥상 야외 풀장을 젊은
시절에 청춘물고기로 변해 멋지게 잠수하며 수영객들의
시선을 사로 잡고 있을 때. 멀리서 아름다운 인어가
왕관머리띠를 번쩍이며 다가오고 있었다. 검은 머리를 풀어
해치고 날씬한 몸매를 뽐내면서 두 팔을 벌려 포용할 기세로
다가왔다. 나도 광채로 눈부신 아름다운 인어아가씨를 향해
서서히 다가갔다. 점점… 다가갈수록… 얼굴은 또렷해지며,
첫 사랑 양순이 얼굴로 변했다.

　"양순아~!!!"

　잠꼬대 소리가 컸는지, 내가 놀라 잠에서 깨고 말았다.
KTX 는 천안역을 빠르게 달리고 있었다. 온천 도심에 크고
작은 건물들의 굴뚝에서는 수증기들이 뿜어져 나왔다. 하얀
수증기 사이로 양순이 얼굴이 떠올랐다.

　첫사랑 양순이는 지금 어디서 어떻게 살고 있을까?
양순이가 보고 싶어졌다. 그때당시, 가진 거 없고 별 볼일
없었기에 떠나가는 그 애를 잡을 수 없었다. 뒤 한번
돌아보지 않고 가던… 당당했던 그녀가….
어떻게 살고 있는지 궁금해졌다.
아니다.
…
내가 지금 확인하고 싶은 건, 그 당시 자신만만하게 나를

버리고 떠난 댓가를 톡톡히 치르며 고통속에서 힘들게 인생
바닥의 쓴 맛을 보며 살고 있는 그녀를 보면서…, 당당히
오십억 돈뭉치를, 성공한 나의 멋진 자랑스런 모습을 그녀
앞에서 뽐내며, 땅을 치고 후회하는 그녀의 일렁이는
피눈물속 넘실대는 파도에서 튜브라도 타고 누워, 레몬 꼽힌
아이스 티를 빨며, 그녀의 심장에 대못을 박아 놓는 통쾌함을
맛보고, 그녀의 뼛속 깊숙이, 나를 버린 후회 가득한
통곡소리에 메아리가 멈추지 않는 그런 이기적인 잔인한
앙갚음을 해주고 싶었던 건 아닐까?

　세상 사람들은……
얼마나 많은 사람들이…
'자신의 첫사랑과 결혼까지 해서 행복하게 살고 있을까?'
하는 생각이 문득 들었다.

　첫사랑이란 풋사과의 떨떠름함이 입안에 잔뜩 침은 고이게
하지만, 결코 삼키고 싶지 않은 딜레마의 혼란속에 실수처럼,
어리숙하고 단편적인 고무줄 잣대로 배우자를 선택하는 우를
범하고 일상을 고통스럽게 살아가는 실수를 헤쳐 나가는
출구로써 대부분 깨지는 게 당연한 거 아닐까….

　남자들이 첫사랑을 못 잊는 것은, 사람들이 황폐하고 피
팍하게 살기 힘들었지만, 치열하게 싸우지 않아도 하루하루
죽지 않고 살아갔던 순수함과 욕심 없는 맘의 여유가 있었던

고향을 그리워하는 맘과 흡사한 대리 충족 같은 것이
아닐까….

30 여년이 흘러가 버린 지금,
양순이는 어떻게 살고 있는지 궁금해졌다. '양순이 연락처를
아는 사람이 누가 있을까???...' 그때 같이 미팅하며 주선도
했던 용근이는 알고 있을 수도 있는데…, 용근이 연락처는 또
어디 있는지 모르겠네….

KTX 종착역인 서울역에 내려 3 층 상점가를 지날 때
아내가 '던킨도너츠'를 발견하곤, 내 팔짱을 끼며 자연스럽게
끌고 들어갔다. 젊은 미스 시절, 직장 다닐 때부터, 회사
건너편에 있던 '던킨도너츠'를 좋아했던 습관이 베서 그런지,
'던킨도너츠' 앞을 지나면 그냥 가지를 못했다. 크루즈에서도
그 많은 음식들 사이에도 크림과 쿠키가 듬뿍 올려진
도너츠는 접시에 3 개 정도나 가져와 먹을 정도였다.

'던킨도너츠'와 뜨거운 바닐라 라테를 들고 기차 안에서
예약해둔 카카오 '벤츠 SUV'를 타고 가볍게 요기를 하며
집으로 향했다.

"여보~… 우리 이사는 언제 갈 꺼야?" 아내가 행복해
입꼬리가 올라간 얼굴로, 가끔 기분 좋을 때나 들어보는
꾀꼬리 같은 목소리로 물었다.

동네 친구 부동산 하는 민주씨에게 아파트 알아본다고 하던 아내의 말이 떠올라 아내에게 물었다.

"당신 집 알아보구 있어?"

...

"지금이 기횐..기횐데…,   아파트값도 반으로 떨어졌고…"
내가 커피를 빨며 말하니,

"그럼 뭐해…. 우리 아파트도 반으로 떨어졌는데~."

"쌔애~아파트는 오~억 떨어지고 우리 아파트는 일억
떨어졌는데, 왜~ 상관이 없냐구~."
옥신각신 하는 사이 벌써 차는 아파트 입구에서 비상등을
켜고 우리가 내리기 만을 기다렸다.
아내가 5 만원짜리 지폐를 꺼내 나이든 기사에게 쥐여주니
우리 여행가방을 문 앞까지 등에 매고 낑낑대며 내려놓았다.
차로 돌아가는 나이든 기사와 즐겁게 인사를 주고받고
번호키를 눌렀다.

아파트 현관문을 열고 들어서는데 사람이 다녀간 흔적이
여기저기 흩어져 있었다.

난 깜짝 놀라 가슴이 두근거려 눈을 동그랗게 뜨고 아내를
처다 보니 아낸, 여유 있게 미소를 지으며 캐리어를 밀어

넣곤, 여기저기 흐트러진 옷가지와 뒹굴어 다니는 음식포장지
쓰레기들을 정리하며 딴전을 피우다,

"민석이 집에 들어오라고 했어~"

"뭐~어? 민석이 하구~, 연락이… 됐~었어?"

"아니… 얼마전에 연락이 왔더라구…" 분명 아내는 나 몰래
민석이하고 오래전부터 연락을 주고받았던 것이 틀림없어
보였다. 서울대 전자 공학과를 수석으로 졸업하고 삼성전자
연구소에서 연구원으로 두각을 나타내며 승승장구하던 놈이,
메모리 소재…, 뭔~가를 개발해서 포상금을 1 억인가 받아서,
반정도를 코인에 투자하곤 다섯배가 올라, '대박을 쳤다!'고
난리를 치고 돈맛을 보더니, '일확천금'에 눈을 떠 억대 연봉
회사를 때려 치고 집구석에 처박혀 한동안 코인거래에
올인하다, 빚만 억대를 만들어 던져 놓고 가출해
감감무소식이더니…, 돈냄새를 맡았는지….

이~삼 년 만인가…. 집으로 들어온 것이다.
호적에서 지워 진 줄 알았는데, 그래도 살아는 있었나 보다.
또래 친구들은 다들 시집, 장가가서, 아들, 딸, 낳고
잘산다고 아내가 부러워하더니 만….
'자식에 대한 부모의 기대가 너무 커, 그것이 너무 심적
압박감으로 작용해, 저 지경이 됐는지도 모르겠다'는 생각이

123

들자, 너무 모질게 아이를 다그친 내가 잘못이 크다는
자책이…. 커다란 바위 덩어리가 되어 가슴을 짓눌렀다.

'끝까지 서울대를 가고야 말겠다'고 우기며, 대학입시에
3수까지 하고도 떨어져 절망에 빠져 있었던 과거의 생각들이
떠올랐다.

3년째 이어오고 있던 대학입시는 처참히 더욱 깊은 절망의
나락으로 가족 모두를 밀어 넣었다. 다른 복수지원 학교
발표에서도 계속 떨어져 예감이 좋지 않았다. 논술에서
교수님들의 좋은 질의응답으로 합격을 기대하고 있었고, 학원
선생님들과 친구들도 합격은 따 놓은 당상이라고 추켜주었다.
그런데 막상 합격자 발표를 보니… '김민석'…, 이름이
없었다.
불합격이었다.
…
3년공든탑이 무너졌다.
아니…
지금까지 입시만보고 달려온 지난 세월도 안 보이지만. 더욱,
가야할 앞길은 막막한 낭떠러지에 서있는 절망의 느낌이었다.

아무도 없는 어딘가에 숨어서 펑펑 울고 싶은 심정만
가슴을 채웠다.

그동안 끊었던 술을 마셔 보았지만 술도 취하지 않으며

아픔만 또렷이 내일의 아침을 가로막고 서 있었다. 이젠 가고
싶어도 갈 길이 없다는, 희망을 잃은 인생은 숨을 쉬고
있어도 사는게 아니었다. 새벽별과 밤을 새우며 생각에 빠져
보았다.

'가장이 이러면 우리 가족은 어떻게 되겠나, 정신차리자...!'
재수 때던가…, 입시 때려치우고, 미국에 머물며 새로운
인생을 개척해보겠다던 녀석을 강재로 불러들여 또다시
입시에 몰아넣은 후회를 떠올리며, 가족들을 앉혀 놓고
태연하게 말했다.

"괜찮아~, 다시 미국가서
새로운 세계의 문을 두드리면 되지...뭐!!!"

녀석도 너무도 큰 충격에서 벗어 나질 못하고 몇 일 밤을
뜬눈으로 보냈는지 초주검이 된 눈으로 미소를 지으며,

"그럼 요~ 아빠~."…

모두들 손을 잡고 웃고 있었지만,
다들 눈에선 눈물이 흐르고 있는 것을 못 본 척했다.

친구들 모임에 나가서 서로들 자랑질로 뽐내는 무용담들이
아픈 가슴을 더욱 후벼 팠기에 '금주'라고 우기며 던져
놓았던 술잔을 집어 들고 독주로 귀를 막아보았다. 커지는
좌절만이 술과 섞여서 빈속을 채워 나갔다.

가장으로 희망 전도사를 자처해 가족들에게 또다시, 또
다른 희망을 채워 넣는 일을 내가 해야 했다. 그렇게 하지
않으면 다 같이 죽음뿐이라는 것이 뻔히 보였다..
지금의 나락을 벗어나는 방법은 딱 한 가지뿐…….
허무 맹랑한 희망을 가족들 가슴에 꼭꼭 채워 넣는 일~!
목표가 정해진 이상, 아무렇지도 않다는 듯 아내와 아이들을
세뇌했다.

"괜찮아~ 더 잘 됐지 뭐~,
이번 기회에 더 큰 물에 가서 더 큰~ 물고기를 잡으면 되지
뭐……. 아마도,
하늘에서 더 큰 기회를 주려고 이러는가 보다~." 그렇게
한달 이상을 서로 세뇌 시키며…, 앞을 볼 엄두도 못 내고,
발등에 떨어진 급한 불똥만 끄기에 급급했다.

그런데, 신기한 건….
인생을 행복하게 사는 방법이 희망이 있든~, 없든~, 앞을
보기 보단 지금 급한 불똥만 보고 사는 것 일 수도 있겠단
생각이 문득 들었다. 불행은 장마철 폭풍처럼 쉴 틈없이
몰려온다는 예길 들은 것 같은데, 은행대출이 불리하게
바뀌고 대출금 상환의 독촉이 발등의 불로 섞여서 몰려
들었다. 새 정부에선 부동산 투기를 잡는다고 각종 규제를
뭉텅이로 끄집어내 소상공인 매출은 바닥으로 떨어졌다.
'진퇴양난~~. 아~ 내 처지를 두고 하는 말 같아~~~.'

126

코인 전문가

급한불만 끄며 삶을 버티는 하루살이로 살았다.
'아니, 우리 가족의 처지를 이르는 속담 같았다.'

연말 연시의 즐거움을 물리치고 조용히 죄인처럼 보냈다.
결혼기념일도 잊고 말았다.

"일요일보다도 못한 결혼기념일~!" 하며 아내의 투정을
미리 잠재웠다. 그렇게 무미한 일상에 적응할 무렵 저녁
밥상을 앞에 두고, 7시 뉴스를 시청할 무렵 아들이 괴성을
지르며 자기방에서 튀어나왔다.

난 직감적으로,

'아~ 이 녀석 또 개미나 귀뚜라미, 벌레를 보고
질색하는구나!' 하며 무시해 버렸다. 엄마에게 달려간 아들은
소리쳤다.

"엄마 ~ 나 합격했어!"
"뭐~야?"
오늘이 바로 대학 추가 합격 발표날이었다. 아들이 서울대
수시 추가에 합격한 것이다.

"와…" 그건 기적이나 다름없었다. 그렇게 기대를 한몸에
받고 서울대를 입학해 '승승장구'하며 수석 졸업까지
했었는데…….

127

아내가 민석이 방으로 가 민석이를 깨웠다. 난 '자는데
냅두지 왜~자꾸 깨우냐?'며 아내를 타박하려다, 참았다.
아들하고 건너올 수 없는 강처럼 깊어진 골을 아직은 내
잘못으로 돌리며 화해하기엔 자존심이 허락하지 않았다. '품
안에 있을 때 자식'이라는 말이 떠올랐다. 없는 자식 취급하며
수 년을, 미운 정 고운 정, 다 털고 살았는데….

'이젠 없어도 그만!'이라는 생각이 들었다. 그런 심사가
뒤틀려 있는 내 표정이 싫었는지 아내가 다가와 물었다.

"만약에…, 이건 만약인데…, 당신이 역무원이 돼서, 기차
철로 차선 변경 레버를 잡고 있는데 직진하는 철로 오십 미터
앞으로는 5명의 사람이 철로에 묶여 있고, 바뀌는 좌측
철로에는 1명이 묶여 있는데, 고장 난 기차가 속도를 멈추지
못하고 달려오고 있다면 당신은 철로 변경 레버를 한 명 있는
쪽으로 변경할 꺼야...? 아니면, 안 할거야."
'당연히~, 두 말 할 것도 없이…'혼자 중얼거리다 망설임
없이,

"그럼, 당연히 한 명 있은 쪽으로 변경하겠지!" 내가
당연하게 대답하니, 말이 끝나기 무섭게, "그런데 한 명 쪽에
묶여 있는 사람의 얼굴을 자세히 보니 아들이야~, 그래도
철로변경 레버를 바꿀 꺼야?"

….

"글쎄, 못… 바꾸겠지…." 기어들어가는 혼잣말로
중얼거리자,

"것~봐! 안~바꾸지~, 민석이도 부산으로 도망가서 원양
고깃배 타고나가, 죽도록 고생해서 신용불량자 회복 신청
해가지고, 다~ 털고, 새롭게 인생을 시작한다고 겨우
연락돼서 내가 '집으로 들어오라~'고 사정사정 타일러서 온
거라니까!" 그때, 문밖에서 요란한 소리가 났다. 주문한
배달음식이 도착했다며 아내가 뛰어나갔다.

18. 남한산성 불법도박장

남한산성 불법 비닐하우스 도박장에서 거의 다 돈을 날리고
얼마 남은 푼돈을 가지고 슬롯머신으로 마무리하고 있던
강경장 옆으로 조선족 간병인 조춘자가 술이 취했는지 친구와
수다를 떨며 지나갔다. 낯익은 목소리에 사냥개 촉으로
고개를 돌려 보니 조춘자였다. 순간 강경장은 머리가 돌며
열이 솟구쳤다. 하우스에서 놀 정도면 웬만큼 돈이 있어선
어림도 없는데 여길 돌아다니면 분명 홍사장의 숨겨둔 거금을
손대고 있지 않으면 어림도 없을 거라는 심증이 극도로
강경장을 자극했다. 옆 동 비닐하우스 휴게소로 향하는
조춘자를 쫓아가 뒷머리 끄뎅일 잡아끌고 옆구리를 무릎으로
가격하자 조춘자가 소리를 지르며 고꾸라졌다. 조춘자 보다
약간 어려 보이는 미니스커트에 롱부츠를 신은 여자가
주머니에서 전기 충격기를 꺼내 강경장의 목덜미를 지졌다.
강경장도 전기 충격으로 나가떨어졌다. 십여 초 정신을 잃고
있다가 바로 정신을 차린 강경장은 벌떡 일어나 미니스커트의
면상을 주먹으로 날리고 조춘자의 머리채를 잡고 하우스
밖으로 끌고 나왔다. 몇몇 사람들이 호기심에 우르르 쫓쫓아

나왔지만 강경장이 권총을 꺼내들고 "나오면 다~
죽여버린다"라는 말에 다들 다시 기어 들어갔다. 구석에서
바카라 끗발을 날리고 있던 성남파 두목 양은이는 흥분해
난리 치는 강경장의 그 모습을 살피다 뭔 일인지 알아보라며
심복 하나를 쥐도 새도 모르게 붙였다.

차를 세워 둔 소나무 사이의 뒤쪽 땅바닥에 조춘자의
무릎을 꿇리고 싸대기를 서너 번 먼저 날리니 조춘자의
입에서 피가 사방으로 튀면서 욕이 나왔다.

"니~이미~ 경찰 세깽이~이면 다야~? 와 패고
지랄이야~, 이.. 떱떼꺄~! 내가 네 마누라라도 되는 줄 아네?
개… 쌍 나미 쎄 끼…!"

"너~ 나한테 거짓말했어~, 안~했어?"

"뭔~말을 해~? 씹~ 에미나이~ 세끼…" 말이 끝나기
무섭게 또다시 강경장의 손바닥이 싸대기를 날리고 손에 묻은
핏덩이를 조춘자의 등 짝에 문지르곤 조춘자의 볼따구를
꼬집어 쥐고 눈을 째려보곤 다시 물었다.

"너~어, 뒤진 영감탱이 숨겨둔 저수지 금고에서…,
손댔지?"

"이르언~ 종간나이~ 세끼…그 돈 있으면 내가 여기서 몸
팔고 있겠니? 개~에 쌍노무세끼이~."

"너어~ 여기서 바카라 하는거 아냐?"

"조빠꾸~ 잡빠졌네~! 바카라 같은 쏘리 작작하네…, 시브럴노미…!" 조춘자의 말이 끝나기 무섭게 강경장은 조춘자의 몸을 뒤져 주머니에서 오만원권 6 장을 찾아내 하우스 안으로 들어갔다.

조춘자는 일어나서 옆에 새워져 있는 자동차의 옆구리 문짝을 발길질하며 억울함을 고래고래 소리질렀다. 숨어서 지켜보며 듣고 있던 성남파 두목 양은이 심복은 강경장이 슬롯머신으로 돌아가서 또다시 슬롯을 당기며 모니터에 빠져 있는 걸 확인하고 두목에게 달려갔다.

"아무래도 심상치 않은데요?"

"예기해 봐라!"

"깡다구가 뭔가 큰 걸 물고 찾아다니는 거 같은데…, 숨겨둔 돈, 아니, 저수지 금고…을…, 예기하는 표정으로 봐선…, 뻥~같지는 않습니다."

"그럼, 지금부터 몸 빠른 애들 한 놈, 24 시간 붙여 놔~봐라!"

"예! 알겠습니다…, 행님~!"

　잔챙이 잭팟이 터졌는지 환장하며 좋아하는 강경장 옆자리에서 박수를 치며 함께 축하하던 노인네의 어깨를 툭툭 치며 쫓아내곤 낯선 젊은 놈이 슬며시 앉아 슬롯을 댕겼다.

　도박장 하우스 옆에 비밀스럽게 위장해 만들어진 비닐 하우스동에서는 각종 술과 음료와 춤과 향락과 매춘이 이루어지는 공간이었다. 그곳으로 들어간 조춘자는 옷을 갈아입고 나와 술병이 늘어져 있는 테이블에 앉아 술을 한잔 따라 마시며 대성통곡과 신세 한탄을 하며 울고 있는데 양은이 심복이 슬그머니 앞에 와서 앉았다.

　"누님! 그~세 끼가 와~ 누님, 때립디까? 그으~ 개에~세 끼가?"

　"시팔넘~! 괜히 때리구.., 돈~뺏어가구…, 미친넘이 따로 읍써…! 아이구~ 재수읍 싸리…, 어엉엉~." 조춘자는 응원군이 나타나자 흥분하며 더욱 울어 재꼈다. 빈 잔에 술을 가득 따라 원샷을 한 심복은 냅킨을 조춘자에게 건네주며, "근데… 저수지 금고 돈을 누가 가져갔데여?" 조춘자는 정색을 하며,

　"몰라~! 띠~발! 나보구 돈 내놓으라구 저 지랄이야…." 조춘자는 맥주를 한잔 들이키고 말을 이었다.

　"내가 여기서 파친코로 돈을 펑펑 쓰고 있는 줄 알았다나~ 뭐라나~! 겨우~, 여기서 푼돈 받고 몸 팔구 있구마니~,

씨발~ 퉤~에~" 조춘자는 피가 섞인 가래를 바닥에 뱉으며
심복이 꺼내 놓은 담배를 하나 꺼내 물고 불을 붙였다.
심복도 담배에 불을 붙여 물고 담배 갑을 와이셔츠 주머니에
넣으며 조춘자 술잔 옆에 오만 원권 두 장을 꺼내 놓으며
"누님~! 술값에 보태세요~" 하며, 자리에서 일어났다.

19. 깡통 포차

밤새 잭팟도 터지고 프리스핀도 쌓여 그걸 가지고 다시
'바카라'로 가고, 또~ 오며,를 반복하다,
결국…, 강경장은,
도박장이 다 그렇듯…, 주머니에 날리는 먼지를 확인하곤,
술이 깬… 초라하고 허탈한 현실로 돌아와버린 뿌연 정신으로
잔뜩, 서리가 낀 차 앞 유리창을 카드로 겨우 보일 정도만
긁어내고, 시동을 걸었다.

긴장이 풀리며 눈이 따갑게 충혈되어 눈을 감았다.
'사범이네 포차는 아직 문을 안 닫았으려나…' 혼자
중얼거리다 창문에 하얀 서리가 녹아내리자 와이퍼를 몇 번
작동하고 워셔액을 뿌렸다.

폭탄을 손에 쥐고 있다면 여기…, 하우스를 폭파하고
싶은 충동이 솟구치며 분노를 일으켰다. 라이터에 자꾸
손이 갔다. 이러고 있다간, 뭔 일을 벌일 것 같아, 운전대를
돌려 남한산성을 빠져나왔다. 피곤함에 정신이 없어
'비몽사몽' 하다… 겨우 '깡통 포차' 앞에 차를 세웠다.
가게 문은 닫혀 있고, 화려한 엘이디 간판만이

'휘황찬란'하게 포차를 멀리서도 눈에 들어오게 요란을
떨었다.

  '아~이, 씨~발……, 여기서 뭘 좀 요기하고 출근을
하던지… 집으로 들어가, 처 자빠져 자던지 하려고 했는데.'

  '해 뜨기 전이 제일 어둡다…'고 누군가 에기 하더만…,
하루 중 제일로 어두운 때가 동녘에 해뜨기 전이라는 말을,
지금까지 한 번도 공감하지 않았지만 오늘은 눈부신 간판
주변의 하늘은 더욱 어두웠다.

  사범이네 매장 간판은 빨주노초…, 스롯머신의 화려한
스케터 심볼 같아서인지… 부러울 정도로 아름다웠다.
밤새워 슬롯머신과 싸운 것이 너무도 치열했는지, 충혈된
눈이 더욱 아파왔다. 눈을 감고 막막한 한 치 앞도 보이지
않는 안갯속에 숨어있는 미래보단, 화려했던 과거를
주마등처럼 떠올렸다.

  '막장까지 왔는데…….
도망간 아내와 딸년….
이년들을 찾아내 칼로 난도질하고 끝을 봐야 하나…, 아니,
하우스 도박장도 불질러 없애 버리고 나보다 더 부패와
무능으로 떡칠한 썩어 문들어 진 계장 놈도 칼빵 좀
넣고…….

당장, 집 빼라고 매일 한 시간씩 잔소리로 난리 치는
집주인, 이빨 빠진 노파도 베개로 숨통을 막아주고…,
정리할 놈 들을 싹~다 정리하고, 그래도 시간 여유가
있으면 더 많은 놈들과 함께 죽으면 미련도 없고 깔끔할
텐데…… 조선족 년 놈들도 싹~다 쓸어버릴까…? 나
같은 인간쓰레기와 인간 버러지들이 함께 사라져 버리면
세상 정화도 되고 얼마나 좋은가~.'

가게 앞 정면에 차를 세워선지, 눈부신 간판도 아픈 눈을
자극해 권총을 꺼내 표적을 삼아 쏘고 싶어지는 충동에
왼쪽 눈을 감고…"빵 빵빵" 소리 내서 외쳤다. 그때,
조춘자의 마지막 말이 떠올랐다. '깡통 속에 동전 가득…'
벌겋게 충혈돼 감겼던 눈이 번쩍 뜨였다.

"깡~통! 컨테이너~!" 강경장은 자기도 모르게 큰소리를
치고 말았다.
'아~~~.
저수지의 열쇠는…?
바로 컨테이너에 있어~!

휴대폰을 꺼내 김달수의 번호를 찾아 전화를 걸었다. 여러
차례를 부재중 안내 멘트로 넘어 가도록, 전화연결이 되지
않았다. 경찰서로 전화를 걸어 당직 후배에게 '김달수의
주소를 빨리 문짜로 날리라!'며, 고래고래 소리를 지르니

곧바로 주소가 왔다.

조급함으로 돌아버린 강경장은 김달수의 집을 향해 악셀을
깊숙이 타이어 헛도는 소리가 요란할 정도로 끝까지 밟아
차를 몰았다. 다행히 사람들이 출근 전이라 도로는
한가했다. 자유로를 달리다 국도로 들어섰다. 사거리의 붉은
신호등이 눈에 들어올 리 만무였다.

신호를 무시하고 달리던 강경장의 승용차 옆구리를 5 톤
화물차가 용서 없이 박곤, 20 여미터를 밀고 나가자,
강경장의 차는 다리 난간을 부수고 10 여 미터 아래
논바닥으로 처박고 말았다.

심정지 상태로 119 구급차에 실린 강경장의 식어가는
몸뚱이는 구급 대원들의 젖 빨던 힘까지 보탠 흉부압박,
펌프질로 호흡은 겨우 돌아와 산소 호흡기를 입에 처넣으니
맥박이 살아나기 시작했다.

"후~…, 살았네…!" 나이 든 소방 팀장이 소곤거렸다.
산소 농도와 각종 응급처치 기계 장비를 조정하던 젊은
여자 대원도 "그러게요~" 하며, 안도의 긴 숨을 내 뱄었다.

안개 낀 낭떠러지…, 아슬아슬한 좁은 길을, 저승사자의
검은 도포를 겨우 잡고 끌려가던 강경장은 갑자기 넓은
꽃밭 초원이 나오며, 눈이 부셔 아무것도 볼 수가 없는
밝은 광장에 도착했다.

시간이 지나고 동공이 줄어들며 현실에 적응하자, 황금빛
성문이 열리며 입구부터 온통 금은보화 가득한 신천지에
저승사자는 오간데 없고 혼자 서있었다. 강경장은 너무
기뻐서 날뛰다 주머니에 금화 동전을 가득, 가득 채워
나갔다. 위 주머니… 바지 주머니… 주머니란 주머니는 외
이렇게 많은지 끝도 없이 채워졌다.

시간이 얼마나 흘렀을까, 이젠 눈을 떠야겠다…, 싶어,
일어나려는데, 온몸이 무거워 도저히 일어날 수가 없었다.
그러기를 반복하다 온몸 구석구석이 통증으로 아파오며
누군가의 당황하는 목소리가 들려왔다.

"움직이지 마세~…, 움직이면 큰일나요~, 강해진 씨!"그
소리를 끝으로 다시 강경장은 안갯속으로 빨려 들어갔다.

안갯속에서, 혼수상태로 2주가 흘러갔다.
중환자실에서 일반 병동으로 옮겨 사경을 헤매는 강경장
옆에 후배 이순경이 와 있었다. 회진을 도는 담당의와
에기를 주고받던 이순경은 눈꺼풀을 움직이며 희미하게
왼쪽 눈을 처 들려고 발악하는 강경장을 보곤 입을 열었다.

"선배님… 선배님… 내 목소리 들려요?" 희미하게 눈을 뜬
강경장의 얼굴에 가까이 얼굴을 들이밀며,
"저 알아보겠어요~! 선배…!"

또라이로 소문난 강경장을 면회 올 사람이라곤 같이
근무했던 후배 직원 몇 명이 전부였다.

"선배님~ '천만다행으로 중요 장기들이 다들 피해가
목숨을 건졌다'고 담당 선생님이 그러네요…"

강경장은 그제서야,
"살았구나…!" 하는 기쁨의 눈물이 양쪽 귓구멍을 타고
슬금슬금 기어들어가는 찝찝한 촉감을 느꼈다.

"이순경... 내가 살아있냐?"

"그럼요~ 천만다행으로요…."

강경장은 대답 없이 다시 눈을 지그시 감았다….
'빨리 움직일 수 있어야 컨테이너를 찾을 수 있는데….'
강경장은 이를 악물었다, 하지만 위아래 이빨이 다
빠져나간 입속은 고통만을 피고름과 신음이 섞여 쏟아져
나왔다.

'홍사장이 숨겨둔 돈만 찾아내면, 이젠, 나도 새로운 제
2의 인생을 살 수 있어!' 흔들리는 결심을 다시한번
확고하게 다짐했다.

"너~ 지금 가서 내가 얼마나 더 있어야 퇴원 가능한지
물어보고 와!"

"지금 눈 떠놓고 뭔~ 퇴원이야요??? 선배!"

"너~ 이사끼~ 죽을려~..., 빨리 물어보라니까?"

"온몸 다 부러져서 쉽게 못 나가요, 퇴원 할 생각 말고
빨리 나을 생각이나 하세요!"

"아~이…, 에~…, 이~세 끼이...가~."
강경장의 죽어 들어가는 소리에 이순경은 먼저 인사로 말을
막으며,
"고만 갈게요~! 몸조리 잘 좀 하고요~." 성급히 문을 열고
나가는 이순경을 향해 소리를 질렀지만 목안에서 맴돌 뿐
밖으로 나오질 않았다. 잠시 후 간호사가 들어와 수액
주사줄에 원가를 주사하더니 의식을 잃고 또 다른 세상으로
날라 들어갔다.

강경장의 아내와 딸년이 어떤 놈과 다정하게 사는 것이
보였다. 거실에서 수다를 떨며 마누라와 도끼눈만 보여주던
중학생 딸년이 '박장대소'로 남자 놈과 행복의 끝을 맛보는
듯, 잘 익은 과일들과 어울리게 노래와 손뼉이 방안
구석구석에 꽉 차 있었다….

분노가 치밀어 오른 강경장은 옆구리에 평소 차고 있던
권총을 찾으니 칼이 나왔다. 칼을 들고 남자 놈을 덮쳐
찌르니 놈은 살짝 피함과 동시에 강경장은 고꾸라지며 스스로
심장을 찌르고 말았다. 심장이 찢어지는 고통 속에 또 의식을

141

잃고 말았다. 지옥인지 천국인지 구분할 수 없는 곳을 헤매고 있었다.

죽어서 강경장이 아는 모든 쓰레기 부류의 사람들은 지옥에서 피 터지게 싸우며 바쁘게 살고 있을 것이 틀림없다. 그런데, 예수님, 석가모니, 성모마리아, 처자식~, 또, 이순경~, 같은 부류들의 범생이들로 꽉꽉 찬, 아니, 멍청할 정도로 착하게 사는 숙맥들만 가득한 곳이 천국이라면, 한치도 망설임 없이, 치열하게, 살기 위해 싸우며 사는, 이런 악마 놈들이 넘쳐나는, 흥미진진 인간의 피비린내 섞인 땀 냄새가 진동하는 지옥에 살기 위해서라도 지금보다 더 최악의 선봉에서 지독하게 살아야 한다는 생각에 빠지며 강경장은 무의식의 깊은 잠에 빠졌다. .

그렇게 온몸에 붕대를 감고 깁스를 하며 3 달을 버티고 퇴원을 한, 강경장은 김달수의 컨테이너가 있는 농장으로 향했다. 미리 예약해 새워 둔 렌터카 시동을 켜고 악세 레이터를 힘껏 밟으려다, 움찔하고 브레이크를 밟았다. 죽다 살아난 교통사고가 운전에 대한 트라우마로 온몸을 공포로 겁먹게 했다.

"사알~ 살~, 가자…." 혼자 중얼거리며 조심스럽게
브레이크를 밟았다. 브레이크 패드에서 발을 떴다, 만을 하며
서서히 조심스럽게 달려나갔다.

농장 근처에 도착한 강경장은 농장 주소를 확인하고,
확인하며 조심스럽게 근처로 다가갔다.

주소지와 주소지 근처를 아무리 찾아다녀도 컨테이너가
보이질 않았다.

"'산울림 농장!' 농장 간판이 분명히 맞는데…." 검게
덮어 씌운 비닐하우스 1 동과 하얀 천막만 쳐져 있고
컨테이너는 없었다. 조심스럽게 인기척이 없는걸 확인한
강경장은 하얀 천막 안으로 들어갔다. 각종 가재도구 외에
특별한 것이 없었다. 이런 변두리에 '이케아' 고급 진
제품들로 셋팅되 있는 것이 의아했지만, 분명…, 어디에도
컨테이너는 보이질 않았다.

'아~ 씨팔…'
난감함에 봉착한 강경장은 담배를 하나 꺼내 물고 나에게
전화를 하려다 멈췄다. 농장을 빠져나와 차 안으로 들어와
큰 도로 갓길로 차를 세우고 전화를 걸었다.

"김달수 씨죠? 안녕하세요?"

"누구~?"

난 분당 경찰서 강경장임을 알면서도 너무 오랜만이고 뜻밖이라 다시 확인차 물었다.

"너무 오랜만이라~, 잊으셨나 봐요, 저어~, 분당 경찰서 강해진 경장입니다. 기억~ 나시지요?"

"아~! 예~, 기억나지요…. 그런데, 어~떤~ 일로…?"

"다름이 아니고, 예전에, 그러니까~, 그~ 컨테이너가 지금도 자~알 사용하고 계신가~ 해서요?"

"아~, 그거요…! 그거, 바로 팔아버렸죠! 누가 죽고, 경찰서에서 오라~, 가라~, 하고 재수도 없는 거 같아서~ 바로 당근으로 팔아 버렸는데여…."

…….

"그럼, 그걸 사 간 사람, 아니…, 그~, '당근'한 사람 연락처는 알 수 있을까요?"

……….

'이~ 넘이…, 뭔가 눈치를 깐 걸까?' 난 혹시라도 의심을 할까 봐, 망설임없이 "잘~ 안다고…." 말하곤 문자로 넣어준다고 했다. 전화를 끊고, 몇 달 전 '당근 톡'을 뒤지기 시작했다. 겨우 찾았다. 강경장의 폰으로 이름과 핸드폰 번호를 문자로 보냈다. 잠시 후 강경장은

'오케이!'를 문자로 보내왔다. 뭔가 이상했다. 전화하는
말투도 어눌하고 갑자기 바보 멍청이가 된 것 같은 느낌이
들며 기분이 나빠졌다.

　잠시 후 강경장은 문자의 전화번호를 확인하곤,
서둘러 전화번호를 돌렸다. 낯 선 번호라 잘못 걸린
전화로 아는지 상대 전화는 받을 생각을 하지 않았다.
시간차를 두고 전화를 걸어도 전화를 받자 않자,
강경장은 문자를 날렸다.

　'분당 경찰서 강해진 조사관입니다. 범죄수사 관계로
통화하고 싶은데요!'

　사실 병가로 휴직 중이고 곧 잘릴 거지만, 거짓말을 입에
달고 사는 일상에서 이 정도는 뻥도 아니었다. 잠시 후 답이
왔다.

　"무슨…일인데요?"

　"몇 달 전에 컨테이너 당근 하신 거 맞죠?"

　"예~! 부모님 시골집에 쓸려고요."

　"혹시, 부모님 주소 좀 알 수 있을까요?"

　"왜~그러시죠?"

"별거 아니고, 조사할게……, 그게, 아니고 참고할게
있어서요…"

잠시 후,
"원주시 삼량면 시골리 123 번지입니다!"

"예… 알겠습니다"
강경장은 운전이 점점 익숙해지면서 몸에 붙자, 다시
속도를 높여 원주로 향했다. 고속도로의 지루한 운전은
운전자들로 하여금 많은 생각을 하게 했다.

강경장은 문득 자신이 죽지 않고 살아있는 것이
'우연일까? 필연일까?' 하는 생각이 들었다.

마치, 지구에 사는 60 억 인구가 커다란 시계 바늘을
돌리는 60 억 개의 톱니바퀴 처럼, 돌다가, 부서져 고장나면,
교체 될 때 까지 자기 의지완 상관없이, 그렇다고, 내의지로
가고, 멈추고,를 할 수도 없는, '절대적인 필연으로 아무런
생각 없이 부속처럼 살아가고 있는 건 아닐까?' 하는 생각에
잠겼다.

'내가 지금 교통사고로 기적처럼 죽지 않고 살아서 이렇게
난생처음 가보지 않은 낯 선 곳으로 무언가를 찾기 위해 차로
달리고 있는 것이, 내 의지가 아니고 필연적으로 시간과
짜여진 역할이 정해진 지구라는 시계의 60 억 톱니바퀴 중
하나로 돌아가고 있는 거 같은' 생각이 들었다. 내가 여기서

방향을 틀어 서울로 돌아가는 것도 결코, 내 의지로 방향을
트는게 아니라, 짜여진 운명에 따라 내 맘이 변한 것이라는
생각이 들자, 세상에서 제일 나쁜 놈으로 변해가는 지금의
자신에 모습도 필연의 어떤 힘에 의해 조종 당하고 있다는
생각에 이르자 지금 찾고 있는 수천억이라는 천문학적인 돈을
손에 쥐는 것도 어떤 필연 일 꺼라는 확신이 들었다.

오후 3시가 되어 원주 주소지에 도착했다. 주소지에는
깔끔히 쥐색으로 새것 같은 컨테이너가 떡하니 마당 구석에
버티고 있었다. 컨테이너 안에서 인기척이 들려 강경장은
조심스럽게 컨테이너 손잡이를 돌려 문을 열었다.

안에는 꼬부랑 노인 내외가 삶은 감자로 오참을,
젓가락으로 찍어 설탕을 듬뿍 발라 먹으며, TV에서 나오는
가요대회를 보며 흥얼거리고 있다가 빼꼼 얼굴을 내미는
강경장을 보곤, 태연하게 들어와서 감자를 먹으라며 손짓을
했다.

강경장은 목 인사를 하곤 태연하게 함께 앉아 감자를
까서 설탕을 듬뿍 찍어 한입에 처넣었다. 아침부터 굶고
여기까지 달려온 터라 허기가 저 있었다.

강경장은 그렇게 감자를 몇 개 까먹고는 동네 슈퍼로
달려갔다. 막걸리 두 병을 사와 싱크대에서 사발 3개를 깔고

술을 가득 따르니 노파가 냉장고에서 김치를 꺼내 와 상 가운데 놓았다. 가볍게 건배를 하곤 입을 열었다.

"컨테이너가…, 안이 무척 따뜻하네요~."

"응... 우리~, 서울에 있는 딸애가 얼마 전에 보내줬어."
막걸리를 한 모금 축이며 영감탱이가 웃으며 자랑했다.

"따님이 효녀네요?"

"응~, 항상 변함없이 잘해!"

"그런데 컨테이너가 깨끗하네요~! 새로 내부 수리를 싹~
했나요?"

"아니, 그냥~ 이대루~ 와서 내려놓고 간~ 그대로야."

"아~그래요, 제가 서울서 왔는데, 따님하고 잘
알거든요. 그래서 내일 시내 나가서 고기도 좀 드시고 옷도
좀 사드리고, 갈려고, 하는데요"

"우리 딸하고 잘~ 알어? 그럼 됐어! 뭐 하러 우리 같은
늙은이들에게 돈을 써~, 그럴 필요 없고~, 서울 가면
우리 딸아이나 사줘"

"아니요~, 괜찮아요~! 내일 오전에 다시 들릴께요."
강경장은 인사를 하곤 밖으로 나와 차를 몰고 시내로
나왔다. 여관을 잡고 근처 시장을 돌아다니다 철물점에

148

들려서, 철거에 용이한 빠루와 큰 망치와 전동공구를
사서 트렁크에 넣었다.

다음날 일찍, 두 노인들이 있는 컨테이너로 달려갔다. 극구
사양하는 노인 내외를 차에 태워, 시장 옷 가게로 갔다.
촌스러운 옷 한 벌씩을 사서, 손에 쥐여 주고, 시장 입구에
커다란 갈빗집으로 들어갔다. 고기를 5인분을 시키고 고기가
익어갈 무렵, '먹고 있으라!'며 얘기하곤 차를 몰아
컨테이너로 달려갔다.

시간이 없었다.
두 노인이 고기 5인분을 다 먹으려면, 두세 시간, 아니,
4시간 정도, 시간을 잡고, 그 시간 안에 뭔가를 찾아야 한다.

강경장은 닥치는 대로, 벽면 종이 합판을 뜯어 내기
시작했다. 각종 살림살이와 집기들이 쓰러지고 날아다니며
철거를 방해했다. 유리창문을 뜯어 마당으로 던지고
살림살이들을 내던졌다. 벽면을 거의 뜯었다. 땀은 비 오듯
쏟아졌다.

얼마 후, 무리를 했는지,
부러졌던 뼈마디들이 아파오며 마비가 와서 그 자리에
스러지기를 몇 차례 하고서야, 속 빈 벽, 철판만을 확인했다.
아무것도 없었다. 또다시 천장을 뜯어 나갔다. 매달려 있는

전등을 뜯다가 전기 합선이 났는지 집안 전체 전기가 나갔다.
천장을 다 뜯었지만 역시 아무것도 없었다.

"아~~~, 이게 아니데, 이게 아닌데…,
씨~발, …조때따!" '어차피, 여기까지 온 거, 씨~팔, 끝을
보자~.' 세 시간 정도가 흘렀다. 시간이 얼마 없다. 땀과
함께 강경장은 고래고래 욕을 쏟아냈다. 마지막으로…,
바닥을 뜯었다. 그렇게 한 시간을 더 뜯었지만 아무런,
단서가 티끌만큼도 없었다. "종이 쪼가리 하나 안 나오네~."
강경장은 혼자 중얼거렸다.

난처했다.
'애초부터 '일확천금'은 없었던 걸까?' 혼란스러웠다. 멀리서
인기척이 들렸다.

두 노인의 쌍욕 하는 소리가 멀리서 들려왔다.
"이런 개에~ 쓰레기 망나니 레이…, 돈두~ 안 내고
도망가 버리면 우아라~구이! 별의별, 80 평생에 미친놈~
첨이라~우이~!"

강경장은 정신을 차리고 신속히 컨테이너를 빠져나와
뒷담 벽을 넘어 차에 시동을 걸고 줄행랑을 쳤다.
시내에 도착해서 노인네의 딸에게 전화를 걸었다.
'노발대발' 하는 부모의 전화를 먼저 받았었는지, 딸은

전화를 받자마자, 난리를 치며 울며 불고 통곡을 섞어
책임지라고 소리 소리를 쳤다.

　"책임지고, 원상복구하고, 다~아 싹~물어 줄대니, 걱정
말고 똑바로만 대답해!" 운전대를 놓은 손으로 담배를 꺼내
물고 힘차게 첫 모금을 빨아 뱉으며 차분하게 물었다.

　"컨테이너를 당근으로 사서 내부 수리를 했써?
깨끗하던데…!"

　"'당근'은 무슨 개뿔이 '당근'~! 봉창 깨는 소리~래요!
'당근'은 취소됐고, 새로 쌔거로 산 건데요!"

　"새로 샀다니~?"

　"컨테이너 배달기사가 사고 나서 취소하고, 돈
환불받아, 기분 나쁘고 찝찝해 새걸로 샀단
말이애요~!"

　"씨발~! 자세히 예기해 봐~, 그럼 그~ 당근,
아니~, 사고 난, 그 컨테이너는 어딨는 거야?"

　"그걸 내가 어떻게 알아요! 벌써 몇 달이 지났는데,
나쁜 놈아~! 경찰이면 다야~, 뭐 야~~!"

　강경장은 큰소리로 욕지거리를 갈겨, 흥분한 딸의 기를
죽여 놓고, 다그치려다, 단서를 찾는게 급선무라는
생각에 참고 타이르듯 물었다..

151

"그거, 어차피 나라에서 다 물어줄 거니까, 걱정 말고, 범죄에 연루돼서 그런 거니까 이해하고, 그럼, 그 사고 난 차, 컨테이너는 어디 있나요?"

잠시, 울먹이다가 딸아이가 입을 열었다.
"사고 배달 트럭 기사님이 돈 물어주고 처리하셨데요~, 그때, 아마, 자기가 쓴다고 하던가~, 엉엉엉~"

아직도 분이 풀리지 않았는지,
"부모님한테 전화받고 얼마나 놀랬는 줄 알아요? 흑흑흑"
잠시 후 딸아이는 나라에서 물어준다는 말에 흥분이 가라앉는지 차분히 울먹임이 줄어들었다.

"그럼 운반했던 트럭 기사 전화번호 좀 문자로 보내줘~, 빨리~! 그래야, 보상도 빠를 테니까!"

강경장이 성남에 도착할 즘에, 문자가 왔다. 트럭 기사 이름과 계좌번호, 연락처, 끄트머리에, '빨리 원상복구해 주세요! 안 그러면 신고할 거예요~!'

저녁때가 되어 포차에 도착해 안으로 들어갔다.

사범이가 튀어나왔다.

"들리는 소문에, '죽다~ 살아났다'면서~, 이제, 쉬엄쉬엄하세요~! 얼굴이 말이 아니 고만요!."

"술 좀 가져와라~! 그런데 너 몸은 멀쩡하네? 그렇게 칼침 맞고도~."

"말도 마요~, 다행히 칼~빵이 다~아 비껴 나가서, 상처가 깊지 않아 살았지요~."

"그래? 다행이고…, 술이나 가져와라~."

"술은 뭐~언 술이요~! 다~ 죽다 살아났으면 서요~!"
강경장의 찌그러진 표정을 살피곤,
"그럼, 이따~가, 차는 여기 놓고 가요!"
사법이는 막걸리 두 병과 양은 잔을 강경장에게 내밀었다.

사고 이후, 채질이 바뀌어, 소주나 양주처럼 독한 술보단 배도 부르고, 도수도 약한 막걸리나 곡주가 입에 땡 겨, 도수 높은 술을 멀리했다. 그것도 그러려니, 소주를 마시면 뼈마디가 아파왔다. 그 고통이 코로나 후유증과 흡사해서 온몸에 마비가 오고 이어서 경련으로 쓰러졌다.

강경장은 막걸리를 한잔 원 샷을 하곤 트럭 사장에게 전화를 걸었다. 트럭 사장은 전화벨이 한두 번 울리기도 전에 전화를 받았다.

"여보세용~, 차 쓰시게용? …, 어디서, 어디로 가게용~! 운전 중이라~ 바쁘용~, 용건만~빨랑 빨랑~~!"

"음~음, 퀙~퀙, 그게 아니고, 여기, 부운당~ 경찰선데,
일전에 컨테이너 실코~가다가, 사고 난 거 있죠?"

"아~~, 네엥~ 그려용~ 그래요.., 있었지요~!"
한참 뜸을 드리다 생각난 듯 씩씩하게 대답했다.

"그때, 그~ 실려있던 컨테이너는 어떻게 했나요?"

"엥…, 기~기거싱~, 그러닝껭~~."

"예~!, 그거요~."
강경장이 다그치듯 물었다.

"그거이잉~, 그러니까~, '여주땍'한테 줬는디용!"

"여주~땍~! 이라면???"

"예~잉~, 여주에서 제일루~ 유명한 식당 하는~,
여주에선 모르는 사람이 없죵~, 그~으, 여주땍이용!"

"그럼, 그~ 여주땍~ 연락처~ 좀, 알려 줄래요?"

"지금은 운전 중이라~잉~ 어렵고~잉~."

"수사, 아니~ 조사중이라 급한데…."

"아~ 그래요~잉~, 내가 다음 휴계송에 차 세우고
전화할께용!" 잠시 후 전화가 왔다.

"형사님! 지가잉~ 휴게소 왔걸랑용~, 바로~ 다가, 문짜~ 찍어 드릴랑~ 요~잉!" 전화를 끊곤, 잠시…, 바로 문자가 왔다.

'생선구이 전문 여주댁 010-7765-8765'

다음날, 강경장은 일찍 여주로 향했다. 어제 달렸던 영동 고속도로를 또다시 달리고 있었다. 서서히 희망이 보인다고 생각하며, 인생역전을 설계해 보았다. 상근이파와 성남 양은이파, 도박장, 도박빛 싸그리 청산하고 후배 놈들과 선배 직원들에게 빌린 돈 몽땅, 이자 두둑히 갚아주고, '아~ 그리고 사채놀이, 5부짜리, 양사장 빌린 거~, 오천 만원~, 그거 얼마로 늘었을 라나…?'

앞으로 개과천선해서 집 나간 아내와 딸에게 좋은 남편, 좋은 아빠…, 좋은 아들…, 좋은 선 후배 경찰로…, '아니, 직장은 짤린 거나 마찬가지니까, 그렇고….' 강경장은 왜 이렇게까지 자신이 변한 건지 생각조차 싫어졌다.

술과 여자와 도박은 언제든지 남자를 악마로 만들 수 있다. 어쩜 남자는 그런 악마가 되기 위해 돈을 벌려고 인정사정 보지 않는지도 모를 일이다. 수십 년 경찰 밥을 먹으며 범죄자들 조서를 쓰다 보면 거의가, 다… 돈이다. '강경장 역시도 별반 다르지 않게 자신을 악마로 만든 건, 돈이라 생각했다. '돈이 나를 악마로 만들어 놓은 것이 틀림없다!

돈을 찾으면 나도 다시 갱생할 수 있을까??....' 강경장은
잠시 마음이 흔들렸던 걸 후회하며 머리를 좌우로 힘차게
흔들었다.

'아니…, 나처럼 세상 살지 않으면, 더 악한 놈들에게 벌써
밟혀 죽어 자빠졌을 텐데…, 더 지독하게 버텨야지….'

강경장은 영동고속도로 이천 톨게이트를 지나 하이닉스
반도체 공장이 보일쯤, 전화기를 돌렸다.

"여보세요~, 생선구이죠?" 코맹맹이의 중년 여인에
간드러지게 웃는 목소리가 "몇~명! 오시게요?" 물었다.

"한 명인데…, 예약해야 돼요?"

"한 명이면, 언제든지 그냥 와~두 되요~."

"그런데…, 잘한다고 소문 듣고 가는 거라, 주소 좀~."

"300 백 년 느티나무 알죠? 거기 찍고 오면 돼요!"

"그럼 모르고… 주소를 불러줘야~"

"여기 사람이 아닌가 봐요?"

"…"

"그럼 문호리 300 번지, '생선구이' 찍고 오면 돼요!"

내비를 다시 찍고 생선구이로 달리니, 점심때가 되어 겨우
점심 손님들로 차들이 꽉 찬 주차장에 도착했다. 주차장 앞

본 건물 옆에 새워져 있는, 새거나 다름없는 컨테이너 옆에
차 한 대 겨우 들어갈 자리가 있어 차를 주차하고 사람들로
북적거리는 식당 안으로 들어갔다. 정신없이 분주한 중년의
주인 여자가 여주댁이라는 걸 금방 직감한 강경장은 밖으로
나와 컨테이너로 갔다.

운반 트럭 사장 말로는, 교통사고로 컨테이너가 파손됐다고
들었는데, 수리를 해서 그런가 새것이었다. 다가가 입구
손잡이를 돌려보니 문은 잠겨 있지 않았다. 안으로
조심스럽게 들어가니, 난감했다. 각종 식당 부자재와
식재료들로 깔끔히 정돈되어, 꽉 차 있었다. 벽과 천장,
바닥이 일반 컨테이너와 별반 다른 점도 없었다.

새로 수리해서 그런지 페인트 냄새와 새 합판에서 나는
본드 냄새, 싸구려 장판 냄새가 각종 식재료와 마늘 양파에서
나는 특유의 냄새들과 섞여 강경장은 재치기를 참지 못하고
연거푸 하며, 안쪽으로 들어가서 벽 쪽의 합판을 두드려
봤다. 그냥 나무판자 두드리는 평범한 소리에 별 반 이상한
특이점은 없었다. '이걸 다~아... 또, 뜯어봐야 하나~.'
한숨을 내쉬며 담배를 하나 꺼내 물고 라이터 불을 켤 때
누군가가 들어왔다.

"누구신데…, 여기… 들어와서~?"

강경장은 깜짝 놀라 입에 물었던 담배를 담뱃갑에 다시 꼽아 넣고 너스레를 떨며 형사 짬밥으로 호탕하게 웃곤, 인사를 했다.

"아~ 안녕하세요! 경찰입니다.ㅎㅎㅎ"

하얀 조리복 가운 옷를 입고 모자를 쓴, 주방에서 일하는 듯한 남자가, "잠깐만요~, 사장님~ 오시라고 할께요?" 말하곤 식당으로 갔다. 잠시 후 여주댁인 듯한 여자가 간들어지게 웃으며 인사를 했다.

"어쩐 일로 오셨어요? 밥부터 드시잖고…."

"여기~ 사장님~ 이세요?"

"예~! 제가 여기…."

"다름이 아니고 몇 달 전에 이~컨테이너 실코 온 차 사고 있었잖아요?"

"예~에, 그랬지요."

"그때 사고로 파손됐던 부분이 어느 쪽인가요? 그리고 누가 수리를 했는지~? 조사 좀 하려고요…."

"아~! 그런데 그게 아니고요~, 그 당시 우리 동생이 공장으로 가지고 가서 수리하다…, 그때, 잘못돼서 새로 만들어 왔어요"

"아~ 그럼, 이~ 컨테이너는 그 사고로 부서진 컨테이너가 아니고 새로 가져온 거란 말이군요?"

여주댁은 여유롭게 미소 지으며, "예~!" 대답을 하곤 그 동생이 지금 식당 안에서 식사하고 있으니 물어볼 거 있으면 물어보라며 강경장을 안내해 식당 안으로 앞장서서 들어갔다. 식당 안은 손님들로 꽉 차, 빈자리가 없었다. 일행인 듯한 청재킷 작업복을 입을 십여 명이 긴 테이불에서 식사를 하고 있는 틈으로 여주댁이 들어가 안경 낀 통통한 남자에게 깃속말로 속닥거리자, 통통한 남자는 강경장을 확인하고 냅킨을 뽑아 입을 문지르며, 강경장이 서 있는 카운터 쪽으로 걸어 나왔다. 강경장은 손을 한번 흔들어 주곤 식당 밖으로 먼저 나오니, 통통한 남자가 따라 나와서 인사를 했다.

"안녕하세요~, 경찰서에서 나오셨다~ 구…?"

"아~ 예! 다름이 아니고…, 저기 저~앞에, 컨테이너가~ 여기 식당 사장님 말로는 쌔걸로 가져왔다고~."

'아~, 저거요! 예! 저거 우리가 새로 만들어서 갔다 놨습니다. 그런데, 저게…, 아니, 컨테이너가~ 뭔가 잘못 됐나요?"

"저게 아니고,
그럼~, 그전에 부서진 컨테이너는 어떻게 했나요?"

"아~ 그~전 꺼요? 그건 우리 막내~직원이 보수공사를
하다, 불이 나서 다~ 타버렸죠! 근데~, 그거 조사가 다
끝난 거 아니었어요?"

"예~~, 예! 그럼~, 그~ 불난 컨테이너는 어디다
됐나요?"

"그거~ 고물상에서 집게차로 찝어서 가져가 폐기처분
됐죠~."

"그럼, 거기서 뭐 나온 건 없었나요?"

"남~낀~, 뭐가 나와요~,
마침 불날 때…, 그 시간 때가…, 점심시간이라 모두 공장
비우고 아무도 없었을 때라~, 깡그리, 싹다~ 타고 검은 재
밖에 안 남았었는데요~ 뭐…."

"혹시 그~고물, 상차 때, 책이라든가~, 노트라든가~ 뭐
특이한 게…, 아니! 단서 될 만한 거…."

"바닥까지 다~ 타고, 골조만~겨우, 우리가 만든
컨테이너가 아니고, 어디서 싸게 날림으로 만든 거라,
단열재도 B 끔이고…, 방염도 안 되는 거라…, 홀라당
탔어요!"

"그럼, 그~ 고물상 위치랑, 전화번호 좀 알려 줄래요?"

"예~, 잠깐만요!" 박이사는 휴대폰을 뒤져 '행복
고물상'의 전화번호를 강경장에게 불러주며 '주소는
모르겠고, 대충 위치가, 저 앞에 다리 건너 직진해 가면, 큰
사거리가 나오고 거기서 우회전을 하면 시내 초입에 커다란
'행복 고물상' 간판이 보일 거라'며, 알려 주었다.

강경장은 여주댁의 식당 안으로 들어가는 박이사를 쫓아
들어가 허기진 배부터 채우려다, 조급함을 참지 못하고
발걸음을 돌려 '행복 고물상' 방향으로 차를 몰았다.
빈속으로, 속이 쓰려와 담배를 꺼내 물려는데, '행복 고물상'
간판이 눈에 들어왔다. 긴장이 풀리며 허기가 더욱 몰려왔다.
'아~, 씨~발! '생선구이'에다가 점심을 먹고 올걸….'

고물상 입구에 있는 사무실에 노크를 하고 들어가니 점심을
진작에 끝냈는지, 경리아줌마로 보이는 돋보기를 쓴 사십 대
아줌마 한 사람과 사장으로 보이는 또래의 털보가 디저트
커피로 점심시간을 마무리하고 있었다. 오래된 티브이에서는
지루하고 고리 타분한 앵무새 뉴스 만이 자극적인 멘트에
목소리 한 톤 올려, 시청자들의 호기심을 끌기 위해 발악을
하고 있었다.

"안녕하세요~, 경찰인데요!" 강경장은 경찰 신분증을
흔들곤 집어넣었다.

"예~?" 털보가 늘어져 있던 자세를 고쳐 잡으며 대답했다.

161

"혹시 몇 달 전에 여주~, 생선구이 식당에서 불에 탄
컨테이너~ 고물 하나 실어 왔었죠?"

"예~에~, 그런데, 그거 식당이 아니고, 컨테이너
공장에서 실어 온 건데요?" 돋보기 아줌마가 커피를 마시다
털보의 입을 거들었다.

"어디서 가져왔느냐가 중요한 게 아니고~, 그~으, 실어
온 컨테이너는 어디 있죠?" 강경장은 조급하게 물었다.
고물상 밖에 넓은 적치장에는 불에 타서 찌그러진 컨테이너가
보이지 않았다.

"아이고~, 그게~ 언젠데… 아직까지 있어요! 고철~,
재활용 제철소 공장으로 간지가 언젠디…." 털보가 기가
차다는 듯 웃으며 말했다. 그리곤 식어가는 종이컵에 커피를
입에 털어 넣었다. 강경장은 억장이 무너지는 좌절감에 잠시
멍하니 서있다가 밖으로 나왔다. 강경장은 목적지 없이
무작정 차를 몰아 달리다, 주차 공간이 넉넉한 곳에 차를
세우고 창밖을 보니 '여주보 문화관'이라고 간판이 보였다.
차에서 내려, 조금 걸어 강변 쪽으로 가니, 자전거만 통행이
가능한 '여주 보' 다리가 나왔다. 쌀쌀한 날씨라 통행하는
자전거들도 없었다. 강경장은 무엇에 홀린 듯 '여주보'
다리위를 걸어갔다. 다리 중간쯤에 서서, 안주머니에 손을
넣어 권총을 만지작거렸다. '난간에 앉아서 머리에 방아쇠를

당기면 몸뚱이는 강으로 떨어져 빠른 물살에 흘러가 흔적조차
없어질 것 같은, 완벽한 마무리 계획을 세우고 난간에 앉아
권총을 꺼냈다. 분명 수십 년 짭새의 촉으로 어딘가에 숨겨져
있는 것이 확실한데…. 자신의 운명에 배당된 악역은
여기까지인 것 같은 예감으로 총구를 머리에 겨룰 때,
김달수의 농장 하얀 천막안에 비싸 보이는 '이케아' 캠핑용품
가구들이 머리에 떠올랐다. '그~ 거지 같은 농장 천막 안에
'이케아'가 저가 브랜드 가구라 해도, 값이 만만치 않은데,
세팅이 돼 있다는 것은 짭새 촉이 그냥 넘어갈 사항이
아나라'는 번갯불 같은 무언가가 뒤늦게 번뜩했다.

"아~, 김달수~~! 이~세 끼가……."

강경장은 혼잣말을 외치며 난간에서 내려와 잽싸게 차로
달려왔다. 권총을 안주머니에 쑤셔 넣고 차 시동을 걸었다,
그리고 오른발 끝까지 그리고 아주 깊숙이 가속페달을
밟았다. 바퀴에서 찢어지는 듯한 굉음이 울리며 타이어가 타
들어가는 매캐한 냄새와 함께 강경장의 차는 고속도로
톨게이트를 거침없이 통과해 서울로 향했다.

20. 미행자

　버럭 출세한 사람들의 공통점은 돈 자랑질로 희열과
권위의식 속에 신분 상승을 느끼며, 자신 외에, 남을
위해서는 십 원 한 장 쓰는 것도 아까워하며, 오직 자신의
오감을 위해서는 망설임 없는 낭비질로 돈에 맺힌 '한'을
풀려고 하는 경향이 있다. 나도 그렇게 변해가는 건지….

　자신에 처한 가난한 위기 상황을 하루하루 힘들게 피해
나가는, 아슬아슬한 유튜버 들를 골라보면서, 돕고 싶다는
마음이 굴뚝에 연기처럼 솟아나는 감정을 억누르며, 언젠간
꼭 슈퍼 챗을 쏘며 도울 수 있을 거라는 다짐을 확인하곤,
스스로를 위안했었는데, 요즘은…, 가끔씩 유튜브 방송을
보더라도 사치로 떡칠한 자랑질 뿜뿜하는 골 빈 것들의
채널에 시선이 멈추며 한동안 넋 놓고 보며 '좋아요!'를
누르고 있는 나 자신을 발견하곤, '내머리통 속도 텅~
비어가는 게 아닌가?' 싶어 오른손을 쥐고 주먹으로 머리를
두드려보곤 베이스 드럼 소리가 나는지 확인해 봤다. 베이스..,
까진 아니지만 중간에 있는 랙~탐 소리가 나는 것 같아
머리를 움켜쥐고 흔들어 나 자신의 정체성을 찾으려 했다.

아내도 친구들 모임에 나가면 건배로 이어지는 한잔 술기운에 일상의 비밀을 참지 못하고, '며칠 전, 뭐 뭐 뭐~ 샀는데…, 너무 좋았다~'는 둥, '얼마를 썼다!'는 둥…, '값비싼 유명 셰프의 음식을 먹었다'는 둥…. 자랑질 최고조의 수다를 날리다 보면, 자연스럽게 듣고 있던 몇몇 친구들로부터, "요즘 잘나가는구나~얘~에!" 소리에 이어, '돈 좀 빌려 달라~'는 부탁을 받곤 나 몰래, 농장에서 돈을 꺼내다가 빌려주곤 하는 것 같았다. 나 역시도 '돈 많으면 성인군자가 된다!'는 말이 예전부터 전해 내려와 우리 촌 동네까지도 돌듯, 그런 과시를 부리는 아내를 뿌듯하고 여유롭게 지켜보며 말리고 싶지도 않았다. '죽을 때까지 이 돈을 다 쓰고 죽자!'고 목표를 새운 이상, 망설일 필요가 없었다.

아내는 집 나갔다, 돌아온 민석이를 앞 새워 새로 뽑은 제네시스 G90에 운전대를 맡기곤 사방을 돌아다니며 그때그때, 필요한 대로 농장에서 돈을 꺼내 썼다.

하루는 아내가 "여보…민석이~아부지! 상추밭에 묻어둔 돈뭉치가 불안해~!" 하며, 더 안전한 다른 곳으로 옮겨 놓자고 말을 꺼냈다. '언제부턴가, 잘은 모르겠지만…, '누군가 우릴 미행하고 있다'는 찝찝함이 들기 시작했다'고 했다. 그건, 나도 마찬가지였다. 아들 넘과 서먹한 관계는, 나야 아직까지 지속 중이지만, 아내는 나 몰래 중고 스포츠카를 한대 계약해 준 듯했다. 얼마전, 계약한 동네 근처에 새로 신축한 엘지 쟈이 32평 아파트도 기숙사에 있는 딸들은 제쳐 두고 아들과 함께 추가할 가구들을 맞춘다고 점검 갔다, 온 듯했다. 어제 아내와 명동 신세계에 신상으로 나온 구찌 운동화가 '발이 편해 부산까지 걸어가도 발가락이 멀쩡하다'는 아내 친구 미옥이 말을 듣곤 검은색과 하얀색, 녹색을 번갈아 신어 보는데, 화장실 코너 쪽에서 누군가 계속 지켜보다 사라지는 것 같은 느낌에 구찌를 벗어던지고 5층 식당코너로 올라갔다. '외양간'이라는 최고급 한식당으로 들어가 '와규' 정식과 '등심' 스페셜을 시켜 폼 잡으며 먹고 있는데, 조금 전 구찌에 있었던, 그 수상한 사람이 매장 밖을 지나가며, 힐끗힐끗, 살피는 것 같은 불길함에 집에 와서도 소화가 되질 않는 것 같아, 아내와 '까스명수'를 반 반씩 나눠 마셨다. 잠시 생각하다, 파출소장으로 승승장구, 잘나가다가 뇌물로 짤린 뒤, 영등포에서 '심부름 해결센터를 차리고 요즘에 자리 잡았다'는 동네 친구 '대경이' 전화번호를 뒤적였다. 전화를 걸어 벨 소리가 두세 번 신호 갈 즘, …, 마음이 다시 바뀌어 전화를 그냥 끊었다. 그러자, 촉새처럼 바로 전화가 왔다.

"달수야~! 뭐~어냐?" 녀석은 기분 좋은 일이 있었던 듯, 웃으며 물었다.

"아냐, 잘못 걸었어~." 시무룩하게 말하니, 녀석은 "까~는 소리 하지 말고, 얘기해 봐~!." 경찰 짬밥 축을 새워 '다~ 알고 있으니 말해보라!'는, 범인을 다루던 능란함으로 내 입을 근질근질하게 유도했다.

"아니~, 그게 아니고, 언제부턴가, 누군가~, 우리 가족을 미행하는 거~ 같아서…."

"너~ 뭐…? 내가 모르는~, 켕기는 게 있냐?"

"야~이~, 그런 게 내가 어딨겠냐? 한평생 범생이가~."

"그럼~, 별거 아냐~, 네가 예민하게 반응하는 거야!"

"아~, 그게 아니고, 있긴 있는데…, 그건 나중에 말해 줄게, 혹시~ 너네 사무실에서 신변보호~,아니…, 경호 같은 것 두 해주냐?"

"그럼~, 짜샤아~! 돈 만 되면, 뭐든, 다~아 해주지…, 아니 사람 죽이는 건 빼고~."

"그럼 우리 가족들이 눈치 못 채게, 아니, 쥐도 새도 모르게 숨어 다니며, 경호할 사람 한 명 붙이면 한 달에 얼마 정도 드냐?"

"뒤에서 숨어…서~리, 그림자처럼 가족들 모르게 경호해달라~ 이 말이지…?"

"응!"

"그럼 꾀 비싸…, 한 명에, 아니~, 한 명이면 되지?"

"응 에이끕으로! 실력 있는 프로뀹~!"

"그럼~ 한 장은 줘야지!"

"한 장이면~, 백만 원?"

"지랄한다! 이쪽 세계에서 한 장은 천만 원이야…."

"천만이라…, 그럼, 무술은…? 아니, 실력은 죽이냐?"

"실력은, 날아오는 총알은 못 피해도, 칼 정도는
막아내지!"

"그럼, 당장 연락해서 붙여줘라~."

"당장 급하면, 내 오른팔 "달팽이!" 붙여 줄게."

"잘~하지?"

"그럼! 내 왼팔 "새우~"보다 한수 원~데~, 뭐…."

"내일부터야?"

"아니, 한 시간 뒤부터~, 선~ 입금하는 거 알지?"
경찰로 '산전수전' 다 격은 놈이라 정확하고 빠른 일 처리가
맘에 들었다. '역시 이 넘에게 빨리 전화하길 잘했다'는
생각이 들었다. 곧바로 계좌번호가 들어왔다.

168

"알았어~! 바로~ 보내줄께!" 난 말이 끝나기 무섭게 '카카오'로 녀석에게, 천만원을 나눠서 쏴 줬다. 녀석의 오른팔 달팽이는, 녀석이 술 먹으면 무용담을 가끔 늘어놔서 나도 어느 정도 실력을 알고 있었다. '707 테러범죄 소탕 진압 특수대에 팀장으로 근무하다, 오래전 상업은행 종로지점에 침입한 강도범들을 소탕 작전 중, 청원경찰이 실수로 사망한 것에 억울한 책임을 지고 짤려, 자신의 오른팔로 일하고 있다'고 여러 번 들었었다.

혹시라도 우리 가족의 뒤를 캐고 미행하는 놈이 있다면 분명히 '달팽이'가 손쉽게 처리할 것이, 안 봐도 뻔했기에 안심이 되었다.

잠시 후 대경이 전화가 왔다.
"달수야! 너 정말 뭔~일 있는 거 아냐? 바로 도~온 보내고?"

"잘 받았지? 별일 아니니까, 아니…, 나중에 예기해 줄게~, 부탁한다!"

아무리 오래된 동네 친구라도 오십억, 얘기를 하면 어떻게 돌변할지 모를 일이다. '나중에 다른 말로 돌려 말할 궁리를 세워야겠지….'

한 시간 후, 달팽이는 무소음 카메라 드론을 뒷산에서 띄어, 커튼이 굳게 처져 있는 우리 집 거실 창을 통해 열화상

측정 레이저 카메라로 가족 모두가 있는 것을 확인하고
철수하기 전 다시 한번 우리 아파트 103동 주변에 드론을 한
바퀴 돌렸다. 그러다 잠시 후 건너편 102동, 복도 계단에
숨어서 망원경을 들고 있는 수상한 놈을 발견하곤, 태연히
아무렇지도 않고 별일 아니라는 듯, 퇴근을 했다. 아마도
24시간 밀착 경호가 아니고 문밖 외부로 나오는 순간부터
실외 그림자 경호인 듯했다.

잠시 후, 강경장에게 조금 전 건너편 복도 계단에서
망원경을 들고 숨어 있던 남자한테 전화가 왔다.

"형님~ 김달수 외에 2인 집에 들어왔고 오늘도 별
특이사항은 없었습니다"

"그래 알았다! 퇴근해라~." 여주에서 돌아온 강경장은
언제부터 였는지, 자신의 심복 중 한 놈을 시켜 나를…,
아니, 내 가족을 미행하고 있었다.

잠시 후, 대경이에게도 달팽이의 전화번호가 떴다.

"소장님~! '끈끈이' 한 놈 붙어 있는 거 같은데, 깜도 안될
거 같고, 오늘은 퇴근하겠습니다!"

"수고 좀 혀라…, 지원 필요하면 말하고…."

그리곤, 몇 일 있다가 대경이에게 다시 보고가 들어왔다.

170

"소장님~! 한 명이 아니고, 그놈을 미행하며
'일거수일투족'을 감시하며 미행하는 문신충이 한 놈이 또
있는데요~, 이거 보통 껀이 아닐 거 같은데요~.
'짭시~끈'하고 '조폭~끈'까지 붙어 있는 거 보니까요…?"

"너 혼자 처리 돼것냐?"

"그럼요~, 요런 몇 놈 정도야…."

"계속 살펴봐~! 내가 한번 합류해서 점검 때릴 꺼니까~."

- 끝 -

-PS- 2부로 마치려고 했는데… 3부까지 가게 되네요.

작가의 말

  물질의 풍요로움 속에서 세상은
'선과 악'의 기준이 모호해졌고 높은 교육열로…
일상적인 패턴과 행동 양식들이 획일화 돼가는 'AI 사회'
진입이 점점 빨라지면서…,

  "성공을 향한 '수단과 방법'의 정해진 뻔한 기준은…
'돈'이라는 공통된 목표를 향해 질주하는 데는 거추장스러운
장애물에 불과한 시대를 살아가고 있는 건 아닐까…' 하는
생각이 문득문득… 듭니다.

  '돈'에 인생의 모든 걸 걸고 꿈과 희망이 없는 미래는 무의미하게 느껴져
자포자기로 하루하루 사는 "당근"들에게…

  악착같이 살다 보면 언젠간…
나 자신에 가려져 찾지 못했던 꿈과 희망이 나와 함께 있는 깨달음을
발견하는 순간이 찾아올 거라는 확신을 전하고 싶습니다.

  '끝없는 걱정과 근심 속에… 걱정과 잠이 들었던 수많은 날들이
쓰잘 때 없었구나…' 하는 후회 속에 '당근의 추억'을 통해서…

  숨 쉬며 살아 있는 것만으로도, 우린 90% 이상 행복한 거고..

나머지 10%가 돈, 사랑, 친구, 부모, 명예, 지위, 지식, 건강 등등 여러 요인이 채워져서 행복과 불행이 갈리는 착시현상을 안타깝게 돌아보며 '나이를 먹으면 좋은 점이 끝을 굳이 가보지 않아도 안다는 거…'라는 말을 떠올리며….

"한 번 더!"가 없는

인생을…

나 역시 멋지게 마무리해야겠다고 다짐해 봅니다…

24 년 03 월 꽃피는 계절에~

작가 올림

e-mail : kcju3990@naver.com